LE CIEL DANS UN TAPIS

Exposition présentée à l'Institut du monde arabe,
Paris, du 7 décembre 2004 au 27 mars 2005,
puis à la Fondation Calouste Gulbenkian, Lisbonne,
du 28 avril au 31 juillet 2005.

En couverture
Fragment d'un tapis à cartouches (détail)
Berlin, Museum für Islamische Kunst (cat. 33)

ISBN Editions Snoeck: 90-5349-533-9
Dépôt légal: D/2004/0012/34

ISBN IMA: 2-84306-121-0

Comité d'organisation

Cette exposition est conçue et réalisée par l'Institut du monde arabe, Paris, et la Fondation Calouste Gulbenkian, Lisbonne.

Institut du monde arabe
Yves Guéna, président
Nasser El Ansary, directeur général

Fondation Calouste Gulbenkian
Emílio Rui Vilar, président du Conseil d'Administration
João Castel-Branco Pereira,
directeur du musée Calouste Gulbenkian

Commissariat général

Brahim Alaoui,
directeur du département Musée et Expositions

Maria Fernanda Passos Leite,
conservateur en chef

Commissariat scientifique
Joëlle Lemaistre, consultant
Roland Gilles, chargé de collection
et d'expositions (IMA)

Commissariat IMA
Eric Delpont

Direction administrative et financière
Bernard d'Aste
Octavie Gros

Communication
Philippe Cardinal
Josy Perceval
Mathilde Voinchet

Régie des espaces
Jalal Alami El Idrissi

Secrétariat
Arlette Bodin
Marie-Flore Nemecek

Scénographie (Paris)
Architecture Patrick Mauger

Remerciements
L'exposition a été rendue possible grâce à la générosité des prêteurs auxquels les organisateurs expriment ici leur gratitude.

Allemagne
Berlin, Museum für Islamische Kunst : Peter Klaus Schuster, Claus-Peter Haase, Jens Kröger, Anja Robbel, Annette Beselin
États-Unis
New York, The Metropolitan Museum of Art :
Daniel Walker, Stefano Carboni, Frances Redding Wallace
France
Lyon, musée des Tissus : Guy Blazy, Marie-Anne Privat-Savigny
Paris, musée des Arts décoratifs :
Béatrice Salmon, Évelyne Possemé, Sylvie Bourrat
Paris, musée Jacquemart-André :
Nicolas Sainte Fare Garnot, Hélène Couot
Maroc
Rabat, ministère de la Culture, Direction du Patrimoine culturel :
Med Abdeljalil El Hajraoui
Portugal
Lisbonne, Fondation Calouste Gulbenkian :
João Castel-Branco Pereira, Maria Fernanda Passos Leite
Royaume-Uni
Ham (Surrey) : The Keir Collection : Richard de Unger
Londres, The Victoria & Albert Museum : Mark Jones,
David Wright, Miranda, Percival, Ann Steinberg, David Packer
Suisse
Sion, Chapitre de la cathédrale : Vénérable Doyen
Robert Mayoraz, Chne Paul Werlen

Les organisateurs de l'exposition tiennent également à remercier Chevalier Conservation pour l'aide apportée à la restauration et à la préparation des tapis du musée des Arts décoratifs et du musée Jacquemart-André.

Que soient également remerciés celles et ceux qui, par leurs avis et leurs conseils, ont apporté un précieux concours à l'exposition :
Jim Williams, Friedrich Spuhler, Pierre Chevalier, Céline Letessier, Cäsar Menz, Marielle Martiniani-Reber, Teresa Pacheco Pereira, Marco Iavelli.

Catalogue

Coordination Institut du monde arabe
Eric Delpont assisté de Djamila Chakour,
avec l'aide de Béatrice Paquereau et Florence Lhuillier

Coordination Fondation Calouste Gulbenkian
Maria Fernanda Passos Leite
João Carvalho Dias

Conception et réalisation
atelier Juliane Cordes

Edition
Editions Snoeck, Gand

Traductions
Divina Cabo (anglais/français)
Thomas de Kayser (allemand/français)
Yves Coleman et Violante do Canto (portugais/français)
Antonio Ramos et Sylvie Messinger Ramos
(français/portugais)

Les notices du présent catalogue ont été rédigées par les auteurs suivants :

Roland Gilles (R. G.)
Joëlle Lemaistre (J. L.)
Maria Fernanda Passos Leite (M. F. P. L.)
Friedrich Spulher (F. S.)
Richard de Unger (R. de U.)
Daniel Walker (D. W.)

La révision de la traduction des notices a été effectuée par Roland Gilles.

Les analyses techniques des tapis de la collection du Museu Calouste Gulbenkian ont été établies par Maria Odete Barreto.

C'est avec un grand plaisir que la Fondation Calouste Gulbenkian s'est associée à l'initiative de l'Institut du monde arabe de Paris, pour présenter une exposition de tapis du monde islamique choisis parmi les plus importantes collections internationales.

Le profond intérêt que Calouste Gulbenkian a toujours porté à ce domaine de l'histoire de l'art est manifeste dans la remarquable collection qu'il a réunie, collection aujourd'hui proposée à l'admiration des visiteurs dans le musée qui porte son nom à Lisbonne.

L'exposition présentée à Paris puis à Lisbonne réunit un ensemble de cinquante-sept pièces issues des productions de l'art textile de l'Orient musulman du XVe au XXe siècle, sélectionnées par les commissaires de l'exposition qui sont de grands spécialistes en la matière, Roland Gilles et Joëlle Lemaistre.

L'art islamique, bien qu'il soit très apprécié en Europe et très prisé des grands collectionneurs depuis le XIXe siècle, nécessite cependant d'être montré au public avec une approche didactique, capable de dévoiler la nature symbolique et codifiée de ses images décoratives.

Cette exposition de tapis du monde islamique permettra d'approfondir la compréhension de cette production artistique et, par ce biais, d'approfondir également notre connaissance actuelle de cette culture majeure.

En 2005, un demi siècle après la mort de Calouste Gulbenkian et précédant le cinquantenaire de la Fondation, cette exposition viendra, à point nommé, rendre hommage à l'extraordinaire collectionneur qu'il fut.

Emílio Rui Vilar,
président de la Fondation
Calouste Gulbenkian

Issu d'une longue tradition, le tapis témoigne de l'ancienneté des pratiques tisserandes de l'Orient – l'une des premières représentations d'un métier à tisser apparaît sur un sceau de terre cuite sumérien –, il révèle un art évolué et techniquement maîtrisé.

En 1989, avec « Tapis, présent de l'Orient à l'Occident » l'Institut du monde arabe inaugurait, par une exposition marquante, une série de présentations consacrées aux tapis et aux textiles. Aujourd'hui, « Le Ciel dans un tapis » offre à nouveau à l'œil du visiteur la magie des formes et des couleurs de tapis noués au cours des XVIe et XVIIe siècles dans l'Orient musulman.

Si l'Institut du monde arabe a été en mesure de réunir un tel ensemble, c'est grâce à une collaboration exemplaire avec la Fondation Calouste Gulbenkian, qui souhaitait associer le tapis à la commémoration du cinquantenaire de sa fondation, ainsi qu'à la générosité et la compréhension de prêteurs prestigieux : partenaires français comme le musée des Arts décoratifs de Paris et le musée des Tissus de Lyon, mais aussi collections et musées étrangers, parmi lesquels la Keir Collection, le musée d'Art islamique de Berlin, le Metropolitan Museum of Art de New York ou le Victoria and Albert Museum de Londres.

À côté de pièces remarquables provenant des ateliers de l'Égypte mamelouke, de la Perse safavide et de la Turquie ottomane, la présentation n'a pas manqué de mettre en rapport des tapis de tribu d'Asie centrale et des ouvrages réalisés au Maghreb, soulignant ainsi l'énergie nouvelle que ces transcriptions villageoises ou nomades ont pu communiquer à un art conceptuel.

Cet ensemble fait brillamment la démonstration du pouvoir unificateur de l'Islam qui a su insuffler ses principes de réalisation artistique partout sur son territoire, des cercles de cour érudits au monde tribal et nomade. Sous l'influence de la religion musulmane qui privilégie les compositions à morphologies abstraites, les motifs géométriques et les volutes de l'arabesque se multiplient à l'envi.

Non seulement les constructions décoratives employées dans les tapis s'inscrivent au plus près des traditions de l'art islamique mais elles en exemplifient les intentions et reconstruisent le monde émerveillé de l'imaginaire par des symboles cachés.

Yves Guéna, président
Nasser El Ansary, directeur général
de l'Institut du monde arabe

LE CIEL DANS UN TAPIS

Roland Gilles

La naissance des formes

Le tapis à point noué a sans doute été inventé pour reproduire l'épaisseur d'une fourrure ou d'une toison. Comme le textile a bonne mémoire, des versions rappelant cette fonction première subsistent toujours. En Iran, dans la province du Fars, les nomades fabriquent des *gabbehs*, des tapis à poils longs, qui leur servent de matelas et qui ont peu d'ornements. Les Anatoliens confectionnent des spécimens encore plus archaïques. Par exemple, le *yatak*, dont les bergers retournent sur le sol la face grossièrement nouée. Le *tulu*, à curieuse consonance akkadienne, imite de près les toisons. Il est fait de longues boucles laineuses tirées entre les fils de chaîne. Citons encore le *filikli*, noué avec des poils de chèvre plus ou moins filés, et qui ressemble au kaunakès, la robe à mèches fuselées qu'on portait à Mari et à Sumer. Très au sud, là où l'on ne s'attendrait pas à la trouver, la technique a émigré à date ancienne. Des textiles d'ameublement en lin, réalisés en Égypte vers 1500 av. J.-C., comme ceux qui furent découverts à Deir el-Médineh, dans les tombes de Kha et de Masja, comportent des zones en mèches nouées ou insérées dans la chaîne par pliage[1].

Cette équivalence entre tapis noué et toison, qui renvoie au temps des origines, transparaissait dans le rituel d'investiture des *mévlévis*. Le nouveau maître se voyait remettre, soit le *sejjad*, le tapis de son prédécesseur, soit une toison de mouton teinte en rouge, comme celle que l'ange Gabriel avait apporté à Adam au Paradis pour qu'il accomplisse la première prière.

Sur le tapis lui-même repose et s'inscrit une sorte de symbolisme naturel qui tient aux anciennes valeurs religieuses attachées au filage, aux mouvements de la navette, à la confection de toute surface tissée. Dès le début, le tissage est l'art de la Déesse, que ce soit l'Athéna grecque ou la Neith libyco-égyptienne. La vie n'est-elle pas l'expression d'un tissage cosmique ? « Qui a tissé le souffle en lui ? » dit l'Atharva Véda (X, 2 13). Et la torsion du fil, la spire, imprimée par la fileuse, évoque l'influx spirituel présidant à toute genèse. Neith, la grande déesse de l'époque pharaonique, coiffée d'une navette et dotée d'un hiéroglyphe emblème représentant un bouclier où s'entrecroisent deux flèches en x, est porteuse d'un mythe qui s'interprète à différents degrés. Au niveau cosmique, la déesse symbolise les fonctions animatrices, la double énergie lumineuse, sans forme, qui provoque la formation par fixation des compléments. « De ses flèches croisées, elle fixe la substance, le mouvement de sa navette tisse la première matière du Monde ». Sur le plan de l'existence, elle symbolise les acquis de la conscience, par croisement des notions. Et cette faculté est à rapprocher du hiéroglyphe « sia » figuré par un tissu et qui veut dire « connaissance »[2].

Il est possible qu'une partie de ce mythe, en migrant hors de l'Égypte, ait survécu dans les coutumes tisserandes des Berbères d'Afrique du Nord. En Kabylie, la laine filée à la maison, parce qu'elle portait une âme, n'était pas vendue. La chaîne en laine blanche écrue, neutre, immobile et fixe, joue le rôle d'une sorte de lymphe ou de hylè, de substance première indifférenciée qui, invisible, traverse tout l'univers. On ne peut l'ourdir sur le métier qu'aux jours propices de la semaine, et non sans observer un certain nombre de précautions et de purifications. Le montage de la chaîne est associé à la pluie, aux sillons tracés par la charrue, à tout ce qui précède la gestation et provoque l'animation par tension et rayures. En revanche, la trame mobile, qui anime, est associée au sang. Elle sera généralement en laine rouge, comme en Anatolie. Pour tout ce qui réfère au tissage, les Berbères se servent de mots arabes porteurs d'une très ancienne symbolique. L'acte de nouer la laine est identifié au mariage ; la chaîne se dit *khet sidat,* « le fil droit » ; la trame se dit *lahamat,* tiré de *laham,* qui signifie chair, et le croisement de la trame sur la chaîne se dit *rouh,* qui signifie esprit[3].

Cette corporéité du tapis noué, déjà remarquée à propos des tapis-toisons qui subsistent, a inspiré aux Berbères des ouvrages apparemment dénués de concepts. On prendra pour exemple le tapis « poivre et sel » des Beni Ouarayn du Moyen Atlas, conservé au musée du Batha (cat. 1) qui partage bien des traits avec les tapis du Haouz de Marrakech. Ces derniers, autrefois appelés tapis de Chichaoua, sont désignés aujourd'hui sous le nom des tribus qui les fabriquent : Rehamna, Tekna, Chiadma, Ouled Bou Sbâa. Ce sont des tapis rouge ou gris-beige, dont le velours, très haut, est grossièrement noué en nœuds turcs ou en nœuds berbères : le brin de laine, passé en huit, enlace deux ou quatre fils de chaîne. Ils n'ont ni champ, ni bordures. Tout se passe comme si le nouage des laines, en constituant une épaisseur et un corps, était le propos même de l'ouvrage. Sur la surface apparaissent, ça et là, des points, des éclairs, de vagues damiers, sans référence à un objet précis. On dirait que la main de la tisserande, en se portant sur le métier, a traduit le travail obscur du corps. Ces œuvres, peut-être inspirées par l'idée d'un chaos nécessaire à la gestation, se situent en deçà d'une organisation de l'espace et de toute démarche descriptive. Elles sont aujourd'hui étudiées avec intérêt. Même si les exemplaires que nous possédons n'ont guère plus d'un siècle, ils seraient les témoins d'une activité tisserande remontant aux cultures du Néolithique. Un travail ici réservé aux femmes, dans lequel l'absence d'images résulterait d'une dépossession opérée par les hommes lors de la suppression du matriarcat[4]. Elles fournissent un rare exemple de style anarchique, instinctif et spontané.

fig.1
TAPIS DE « PAZYRYK »
du Vᵉ-IVᵉ siècle trouvé
dans un tumulus funéraire
de l'Altaï. Musée de l'Ermitage,
Saint-Pétersbourg.

Le tapis d'Orient dans le miroir de l'Islam

Les tapis de l'Orient musulman n'ont ni cette rudesse, ni cette liberté. Ils ont des champs, des bordures, des motifs, des décors organisés. Là où ils sont étendus, s'ouvre un territoire, un espace propre au recueillement, à l'exercice du pouvoir, à la rêverie.

Ce sens de l'image, de l'agencement décoratif, est bien antérieur à l'islam. On peut l'expliquer par les riches traditions iconographiques et religieuses que l'Orient thésaurise depuis Sumer. Le tapis de « Pazyryk », découvert dans une vallée de l'Altaï (Saint-Pétersbourg, musée de l'Ermitage), à l'intérieur du tumulus funéraire d'un chef scythe, date du Vᵉ siècle avant J.-C. Il synthétise les arts palatiaux de son temps et plus spécialement celui des Achéménides. Ses deux grandes bordures, l'une ornée de cavaliers passant, l'autre de cervidés, déterminent fortement un champ divisé en vingt-quatre carrés, chacun scellé d'un motif stellaire rappelant les bijoux scythes. Les deux théories de figures animées déambulent en sens opposé et neutralisent l'effet de mouvement. L'image a un caractère de gravité. Il s'agit d'un décor probablement funéraire qui semble configurer le territoire des Scythes avec l'or mythique qu'il recelait.[5]

L'Orient musulman ne gardera pas cet héritage hellénistique trop marqué par le naturalisme. En revanche, à la veille des conquêtes islamiques, deux productions artistiques exerceront sur le tapis une influence durable : les mosaïques de pavement parce qu'elles représentaient des « territoires » comparables aux siens ; et les soieries sassanides qui proposaient un répertoire de motifs puissamment stylisés. Les villes de la Susiane, à la fin du IVe siècle, avaient lancé leur production textile avec l'appui de tisserands syriens qui maîtrisaient la technique du sergé. Les soieries iraniennes, moins bariolées que leurs sœurs byzantines, et d'un dessin plus net, s'ornaient de roues perlées entre lesquelles s'intercalaient des feuillages cruciformes. Cette construction en *circumrotatae* se retrouvera dans les tapis dits de « Boukhara », ainsi que dans de nombreux tissus coptes, comme le montre le beau fragment en taqueté façonné de la Keir Collection (cat. 2). Quant aux thèmes sassanides : ornements végétaux en forme de candélabre, animaux enrubannés qui s'affrontent de chaque côté d'un arbre de vie, *simurgh*, ou aigles bicéphales emportant des personnages nimbés, plantes sacrées tirées de l'Avesta, toutes ces figures fortement imprégnées de mazdéisme et qui rappelaient les plus anciennes traditions de l'Iran et de l'Asie antérieure séduiront les Arabes par leur caractère étrange, onirique, presque nomade, et s'infuseront profondément dans l'art du tapis[6].

Quand la civilisation arabo-musulmane se met en place, au cours des deux siècles qui suivent la mort du Prophète (632), le tapis est devenu un objet emblématique[7]. Il est associé à la vie quotidienne, à la vie religieuse, au cérémonial des cours. Pour le calife et son entourage, le tapis rappelait à la fois le temps des Sassanides et le temps du Prophète, les nobles coutumes du Hedjaz. De même qu'un fugitif au désert avait droit d'asile s'il parvenait à toucher le mât d'une tente bédouine, être admis sur le tapis du calife était une marque assurée de faveur et de protection. Sur les privilèges princiers de ce territoire textile, les anecdotes abondent[8].

Il est aussi le lieu de la dévotion. Les cinq prières quotidiennes doivent s'accomplir sur une surface qu'on sacralise en la rendant propre. Le tapis se prêtait à cet office. Ce tapis de prière sera décoré d'un arc brisé évoquant le mihrab : la niche creusée dans le mur *qibla* de la mosquée. Nommé *sejjad* ou *musalla*, ce meuble joue le rôle d'un oratoire privé, un peu comme ces ka'aba à échelle réduite que les milices turques de Samarra, à l'époque abbasside, avaient fait construire dans leur garnison pour pouvoir accomplir un pèlerinage de substitution. Chez les soufis, le *bisat at tarika*, le tapis de confrérie, désigne non seulement le trône de l'Ordre auquel se rattache toute une chaîne de significations mystiques, mais ouvre également un « ici et maintenant », insituable sur une carte et qui est le lieu du cœur. Cet usage politique et religieux renforcera la fonction territoriale du tapis et l'engagera sur la voie du symbolisme. Du reste, l'islam le marquera d'un certain nombre de traits. Sa bordure d'encadrement sera longtemps parée d'une écriture monumentale, peut-être tirée du nom de Dieu, d'une formule de louange, ou d'une variation sur le *lam el alif*. Ces lettres, qui avaient valeur de protection, conféraient au tapis quelque chose de mystérieux et de sacré. Des pièces seldjoukides du XIIIe siècle, trouvées en Anatolie dans les mosquées de Konya et de Beyshehir, en portaient de fort majestueuses, en forme de coufique en lancettes[9].

D'autre part, et c'est là l'essentiel, le décor du champ sera conçu comme une construction continue ou exponentielle, que la bordure d'encadrement découpe en séquence, comme le ferait le cadre d'une fenêtre ouverte sur le Ciel des Fixes, ou un plan d'eau entouré de sa margelle et qui refléterait les figures de la nuit[10]. On touche là, à une des intentions de l'art islamique, dont l'origine est peut-être à rechercher dans la pensée d'Avicenne et de ses disciples : celle d'évoquer le maillage invisible et continu qui enveloppe la création d'ici-bas comme dans une sphère et qui peut se résorber au deuxième appel de l'Ange, si Dieu le veut.

De l'immense production de l'époque califale, pourtant bien attestée par les textes, rien n'a subsisté[11]. Il faut faire exception de quelques petits fragments trouvés dans les fosses à rebuts de Fostat, au Vieux Caire, dont les plus anciens sont attribuables à l'époque fatimide. D'autres, assez nombreux, et qui datent de la fin du Moyen Âge, sont curieusement originaires d'Anatolie. Leur présence signale que c'est désormais le monde turc qui domine l'artisanat du tapis. Le fragment de la Keir Collection, à décor de caissons octogonaux, illustre ce phénomène économique (cat. 3).

L'Orient musulman au XVe siècle

Au XVe siècle, au moment où l'histoire du tapis se fait moins dépendante des textes grâce à des pièces plus nombreuses et des témoignages iconographiques plus riches (peintures européennes et miniatures orientales), l'Orient a profondément changé. Partout, la puissance des Turcs se fait sentir. L'Égypte est gouvernée par des Mamelouks d'origine centrale asiatique, l'Iran occidental et l'Anatolie de l'Est sont occupés par des confédérations turcomanes, la Haute-Asie et le Khorasan (l'Iran oriental), sont restés aux mains des Timourides, les descendants de Tamerlan. En Anatolie occidentale et dans les Balkans, les Turcs ottomans consolident leur position avant de s'emparer de Constantinople (1453) et de prendre la direction de l'islam sunnite.

Au sein de ces cours turcomanes et turques dont le protocole s'inspire des anciennes cours ilkhanides de la Perse, le tapis jouit d'une grande faveur. Expression des arts de la tente, il est partout présent dans les somptueux pavillons textiles où les souverains se plaisent à résider. Par ailleurs, le XVe siècle oriental, sera, comme en Europe, le siècle de la couleur. Jamais les enluminures et les céramiques de revêtement n'ont eu de dessins plus savants et de polychromies plus éclatantes. Une intense activité artistique – qui va alimenter les deux siècles qui suivront – s'empare de l'Orient. Elle est vivifiée en amont par les créations qui furent réalisées à Samarkand sous le règne de Tamerlan (1405), et pour lesquelles Iraniens et Chinois ont échangé leurs thèmes et leurs procédés. Dragons, phénix, nuages, fleurs étranges, médaillons flammés enrichissent le répertoire musulman et lui donnent un tour fabuleux.

Par un curieux phénomène de retard, le tapis n'accueille pas ces thèmes. Du moins, pas tout de suite. Dès la fin du XIVe siècle, les tapis de cour - comme le signale une illustration du *Diwan* de Khwaju Kirmani exécutée à Bagdad en 1396 - ont adopté des décors de polygones, imitant soit des pavements de céramique, soit des lanternons de mosquées sur assise carrée. Cette mode, qui vise à associer étroitement le tapis à l'architecture, culminera avec les grands tapis mamelouks de la fin du XVe siècle, dont la décoration semble reproduire la marqueterie des sols ou des plafonds. Observé dans tout l'Orient, ce style sera appelé « le style géométrique international », comme il y a eu, en Europe, un style gothique international.

Certes, le tapis n'est pas seulement le miroir des modes. Il est bien autre chose. C'est aussi un produit d'artisanat destiné au commerce ou à l'usage privé, qui a ses techniques, son patrimoine iconographique, son écriture propre. D'où, peut-être, sa lenteur à adopter les innovations. Mais l'extrême beauté des motifs élaborés au XVe siècle va lui permettre d'exprimer peu à peu son potentiel symbolique. En moins de cent ans, cet art traditionnel délaissera les motifs géométriques pour les majestueux décors à médaillon central, qui eux-mêmes céderont la place aux grands thèmes floraux. En quelque sorte, on passera du monde de l'intellect au monde des sens, par une succession de mutations presque organiques ; curieusement, l'ultime floraison scellera le déclin du tapis.

fig.2
DOMENICO GHIRLANDAIO,
La Vierge à l'Enfant trônant, 1490.
Galerie des Offices, Florence.

Le monde turc et l'apport de sa symbolique

Les tapis Ghirlandaio

D'où vient la force qui émane des anciens tapis turcs? Aucun texte ne donnera le maître mot. Car si on examine les miniatures persanes du XVe siècle, les tapis à décors géométriques qui y figurent, sont d'un esprit bien différent. Chaque unité décorative se relie à la suivante par des jeux d'entrelacs, de sorte qu'on a l'impression qu'on pourrait défaire la composition en tirant à soi un fil du dessin, si seulement on en trouvait l'extrémité. Aux antipodes de cet art qui inspira à Léonard de Vinci une série de six nœuds coufiques d'une complexité étourdissante (gravures que Dürer, à son tour, recopia)[12], se situe l'esthétique anatolienne dont l'expression la plus rude, la plus énergique – et c'est pourquoi elle a été placée en tête de l'exposition – se trouve dans les tapis de format presque carré de Bergama et de Konya. Leur champ à peu près vide d'ornements, est frappé, soit de cinq médaillons posés en quinconce (celui du centre beaucoup plus grand que les autres), soit d'un médaillon central à contour anguleux, encadré de très loin par des écoinçons de style identique. Deux pièces, conservées au Metropolitan Museum, exemplifient cette construction (cat. 5 et cat. 6). À l'exception de quelques exemplaires attribuables au XVe siècle, provenant de la mosquée de Divrigi et qui appartiennent à l'Anatolie de l'Est[13], la plupart des pièces subsistantes ne semblent pas antérieures au XVIIIe siècle et pourraient descendre de modèles divers, entre autres des « Holbein » à grands caissons. Mais nous savons, par un tableau de Domenico Ghirlandaio, (lequel va attacher son nom à ce genre de tapis), qu'un exemplaire, doublement décoré de ce thème, était parvenu à Florence vers le milieu du Quattrocento.

Bien que le chiffre cinq ait beaucoup intéressé les Arabes, cette disposition en quinconce a quelque chose de peu musulman quand il s'agit de la décoration d'un sol. On dirait que ce concept, tel qu'il a été formulé en Anatolie, vient d'au-delà des villes-oasis d'Asie centrale, gardiennes des cultures sassanides, et puise à un fonds touranien préislamique, remontant à l'époque où les Turcs, chamanistes, bouddhistes ou nestoriens, nomadisaient entre la mer d'Aral et la Mongolie. On est tenté d'y retrouver la représentation classique, chez les Bouddhistes, de l'axe du Monde, sous la forme du Mont Mérou posé au centre des quatre Orients, ou le dessin en plan, au symbolisme identique, d'une tente armée de son mât central et de ses quatre piquets. Du reste, des tapis à compositions semblables, sont figurés dans des illustrations chinoises du XIIIe siècle, décrivant, avec force détails, le campement d'un chef turco-mongol où est retenue la noble dame Wen-chi[14]. Ces compositions axiales, centrées sur un pôle, appartiennent à cette famille d'images cherchant à évoquer le Ciel-Dieu, le *Tangri* des Turcs. Son nom est toujours invoqué au XVIe siècle, parallèlement à celui d'Allah, comme on le voit dans le *Livre de Dede Korkut*, qui est l'épopée des Oghuz[15].

Un décor, une fois édité, a une sorte de vie propre. Il était piquant de montrer un des derniers avatars de cette composition en cinq points sous l'espèce d'un tapis caucasien tissé dans la région de Karachof (Arménie), et qui, par la vertu de son inscription magistrale et de ses teintures, redéploie le symbolisme de « la Terre du Milieu » (cat. 4). On ne sait par quelle migration des peuples et des images, ces décors turcs ont été appelés à renaître sur les métiers caucasiens, mais ce phénomène de résurgence n'est pas exceptionnel. Quoi qu'il en soit, l'exemplaire du musée Jacquemart-André illustre bien le génie artistique du Caucase au XIXe siècle, son sens élégant de la stylisation, de l'agencement de l'espace, des valeurs chromatiques. Cette énergie décorative émane d'ateliers villageois fort modestes, outillés de simples métiers verticaux à chaîne courte, mais dont la créativité donnera à l'artisanat du tapis ses dernières œuvres réellement inspirées.

Pavement d'étoiles

Les tapis turcs de type « Holbein »

Les tapis turcs à effet de pavement (type Holbein à petits motifs), s'inscrivent dans cette mode des décors géométriques, lancée à la fin du XIVe siècle et que l'Iran timouride défendait si bien. Mais alors que les tapis de Herat – tels qu'ils sont figurés dans les miniatures – ont des constructions très cérébrales, les tapis turcs utilisent un fond tribal plein de saveur où se devine l'apport des nomades turcomans établis en Anatolie.

L'Anatolie, ancienne possession de Byzance, avait été partiellement conquise, vers la fin du XIe siècle par les Turcs seldjoukides, un rameau des Turcs oghuz. À la suite de ce fait d'armes, la péninsule avait reçu un afflux constant de nomades turcomans venus de la steppe kirghize avec leurs yourtes et leurs troupeaux. Et tout porte à croire que l'artisanat du tapis, déjà pratiqué par les Grecs et les Arméniens, comme le signale Marco Polo, s'en est trouvé stimulé. « C'est là que sont faits les tapis turcomans qui sont exportés dans tous les pays » observe Ibn Saïd, relayé sur ce point par Ibn Battûta. Après les invasions mongoles du XIIIe siècle, les Ottomans, arrivés sur les pas des Seldjoukides, continuent la geste des Oghuz et vassalisent peu à peu les émirats anatoliens. Sous leur égide, d'autres tribus turcomanes s'installent en Anatolie occidentale, notamment les Tékké et les Salor. Il est possible que tous ces nomades, qui apportaient avec eux un répertoire composé de petites figures héraldiques, aient contribué à l'émergence du style « géométrique international », ou tout au moins lui aient imprimé une tournure particulière.

Tel paraît être le cas de ces tapis « Holbein », dont le décor s'ordonne sur des rouelles à contour d'entrelacs, cantonnées de médaillons cruciformes et de petites pastilles étoilées. L'Europe les désigne sous le nom de « Holbein à petits motifs », par référence à un tapis figurant dans le portrait du marchand George Gisze, peint par le maître en 1532. Cette appellation ne tient pas compte qu'un tapis similaire apparaît déjà, en 1451, dans une fresque de Piero della Francesca, peinte pour la cathédrale de Rimini. Quoi qu'il en soit, ces ouvrages semblent avoir été produits, soit à Konya pour les plus anciens, soit à Ouchak, pour la majorité d'entre eux. Les Balkans en ont, peut-être, fabriqué quelques autres. Leur dessin est savant. Conçu par les ornemanistes, il reprend, dans une construction plus resserrée, ces petits médaillons à caractère emblématique que les Turcomans de la région de Boukhara nouent sur leurs tapis et sur leurs sacs et qu'on appelle des « güls » (une rose, en persan). En Anatolie même, on a pu retrouver toutes sortes de versions qui semblent annoncer le décor « Holbein »[16]. En donnant à ces « güls » des contours plus sophistiqués, les artistes ont peut-être composé des armoiries ; un blason proclamant les origines oghuz de la maison d'Osman et sa légitimité à exercer le pouvoir.

Le fragment de la Keir Collection (cat. 7), unique en son genre, en propose une version très rare. Les rouelles octogonales, crénelées de fleurons et scellées au centre d'une étoile, sont colorées de teintes diverses, bleu cobalt ou blanc ivoire ; les motifs cruciformes qui les environnent, d'une grande complexité de dessin, sont composés de quatre feuilles lancéolées dont les fractionnements sont traités en blanc, en jaune et en bleu. Ce médaillon, ainsi conçu par un artiste fort habile, évoque le gül *dyrnak* des Turcomans yomoud, mais dans des contours qui sont ici plus sophistiqués. Ces figures, largement séparées entre elles, se découpent sur un indigo assez sombre et s'inscrivent visuellement sur différents plans. Elles composaient un langage stellaire d'une rare intensité.

Quant à la pièce du musée de Berlin (cat. 8), elle représente la version « classique ». Néanmoins, sa puissante formulation signale son ancienneté : les figures géométriques ne reposent pas sur un damier rouge et bleu, comme il est d'ordinaire, mais sur un champ monochrome bleu nuit dont la profondeur – entraperçue dans l'intervalle des motifs – paraît incalculable. Une bordure en motifs « kotchanak » commune aux tapis d'Asie centrale et aux tapis d'Anatolie, flanquée de deux bandeaux en écriture pseudo-coufique, vient ici encadrer la construction du champ.

Du côté de l'Asie centrale

Il est souvent fait mention des Turcomans, qui sont les Turcs musulmans d'Asie centrale. Leurs tapis ont sauvegardé jusqu'au XIXe siècle un répertoire décoratif assez proche de celui des tapis anatoliens de style géométrique, sans qu'on puisse établir l'antériorité des uns sur les autres ; les filiations ayant pu s'effectuer dans les deux sens. Parmi les pièces seldjoukides découvertes dans la mosquée 'Ala'eddin de Konya, se trouvait un curieux fragment à fond blanc, paré d'un semis de « güls » octogonaux rouge feu, qui montrait tout à la fois l'ancienneté de cet apport asiatique en terre anatolienne et le haut degré de stylisation auquel ce type de décor était déjà parvenu. Quoi qu'il en soit, ce sont les « güls » de la tribu des Salor[17], tels qu'ils figurent sur ces grands sacs d'apparat qu'on appelle des *tchouvals* et des *torbas*, qui se rapprochent le plus des médaillons anatoliens de type « Holbein » (cat. 10 et cat. 11).

Les Salor, qui constituaient autrefois la plus importante des tribus turcomanes, tiraient grand prestige de la perfection de leurs ouvrages à point noué. Leurs femmes les réalisaient de mémoire sur des métiers horizontaux, en s'aidant d'un vocabulaire caractérisant chaque motif. D'autres tribus, comme les Tekké ou les Saryk, pouvaient rivaliser en finesse, aucune n'atteignait la majesté emblématique du « gül » des Salor. Conçu comme un pentacle, ou une étoile fixant le pôle, il était probablement doté de vertus prophylactiques. Bien que tardifs, ces grands sacs, réalisés hors du courant des modes, conservent des thèmes et un style communs à l'Asie centrale et à l'Anatolie : espacement des motifs, verticalité des représentations, héraldisme des figures. Du reste, ce sens de la « mise en page » se retrouve dans la grande calligraphie turque à caractère mystique. Quant à la verticalité des lectures, elle a pu être suscitée par certaines coutumes liées à la vie nomade et à l'habitat[18]. À côté des tapis de sol, les Turcomans utilisaient des tapis-portières barrés d'une croix, et leurs grands sacs, à la fois meubles et ornements, étaient suspendus dans leurs tentes ou sur les flancs de leurs chameaux. Plus que les tapis que l'on foulait, ils portaient les plus belles roses de la tribu.

Les tapis de Damas

On retrouvera ailleurs cette verticalité de l'image associée à des effets de déploiement dans les trois dimensions. Le tapis « de Damas », du musée Jacquemart-André (cat. 9) en est un bon exemple. Fabriqué, semble t-il, au XVIe siècle, quand la Syrie (ou la région d'Adana), autrefois sous le contrôle des Mamelouks, est d'ores et déjà une province de l'Empire ottoman, il a gardé une bonne part de son héritage égyptien, comme son jeu de fleurons et de cyprès et l'usage du nœud persan. Mais sa couleur rouge feu et sa construction énergique le remettent dans l'esthétique anatolienne. Son décor, fait de rien, se compose de quatre carreaux aux angles garnis d'écoinçons, plus deux carreaux rendus à un peu moins de leur moitié. Ils sont tous meublés d'une étoile à seize pointes et de menus végétaux qui rayonnent à l'entour, comme orientés par un aimant. Mais l'œil s'y perd ; la brusque interruption des carreaux fait que le plan du champ se dissocie de celui de la bordure. On ne sait s'il s'agit d'un panneau de céramique, d'un plan d'eau recouvert de nénuphars ou d'un Ciel métaphysique partiellement entrevu dans un cadre et dont les deux étoiles les plus sombres sont les plus rapprochées.

Les décors à caissons de l'Égypte mamelouke

L'Égypte, célèbre pour son travail du lin, la qualité de ses laines « misrî », l'habileté de ses tisserands, voit péricliter à la fin du Moyen Âge son industrie textile par suite d'un monopole d'État imposé par le sultan Qa'itbey (1469-1496). Les tapis que nous désignons sous le nom de « mamelouks » ont peut-être été créés dans les ateliers du Caire pour remédier à cette crise. Ils sont énigmatiques. Les pièces de grand format offrent des similitudes troublantes avec les ingénieux plafonds en marqueterie des palais arabes, comme celui du palais du Partal, à l'Alhambra de Grenade[19]. Jetés sur le tapis, ces jeux raffinés de polygones semblent refléter le Ciel platonicien qui les surplombe. Quoi qu'il en soit, cette production, lancée, semble t-il, dans la seconde moitié du XVe siècle, se poursuivra un certain temps après la conquête de l'Égypte par Sélim Ier (1517).

Les tapis mamelouks sont immédiatement reconnaissables : une laine brillante comme de la soie, un fil de chaîne jaune tilleul, souvent constitué de quatre bouts filés en torsion S (une particularité égyptienne), un nouage d'une haute densité, exécuté en nœuds persans. Leur perfection les range dans la catégorie des tapis d'ateliers professionnels. Ateliers éventuellement contrôlés par l'État, à la manière des *tirâz*, ou tout au moins organisés sur leur modèle. Un passage de l'historien Maqrîzi, repris par Ibn Taghribirdi[20], le laisse entendre : lors de la mise à sac du palais de l'émir mamelouk Kusun al-Nasiri, les pillards s'emparèrent de tapis égyptiens (ou cairotes) « de noble facture » : *min 'amal al-sharif bi misr*. Mais c'est surtout leur composition en kaléidoscope qui retient l'attention, car elle leur donne, selon l'incidence de la lumière, un aspect diapré et changeant – soit rouge, soit vert – probablement assez proche des effets de moirage que produisaient les tissus *bûkalamûm* de l'époque fatimide. De minuscules ornements empruntés au monde des plantes, tantôt rendus en « creux » quand ils épousent la couleur du fond, ou « en plein » quand ils en diffèrent, entrent dans la construction d'un décor à caractère monumental. Papyrus silhouettés, fins palmiers, ifs, feuilles ciselées en candélabre, tous ces éléments, souvent hérités des textiles de l'Égypte copte, s'assemblent et se combinent pour former des orbes centraux environnés de médaillons satellitaires. Et ces éléments sont si menus qu'on en oublie leur origine végétale pour ne retenir que leurs échafaudages géométriques. De loin, ce ne sont que des polygones mis ensembles, de près, c'est un bassin d'eau, une surface aquatique où affleure une vie végétale singulièrement foisonnante et ordonnée. Autrement dit le monde « d'en haut » est reflété par le monde « d'en bas » selon un mode apte à le traduire. Il s'agit ici de végétaux dont les organisations axiales et les rythmes de croissance sont perçus comme des nombres et comme tels, proposés comme des structures semblables à celles du monde cristallin ou stellaire.

Malgré leur caractère spécifique, les tapis mamelouks ne sont pas séparés de l'ensemble de la production orientale. Le fragment du Victoria and Albert Museum de Londres (cat. 12) considéré comme un prototype, accuse une parenté certaine avec quelques rares « tapis de cour » anatoliens du XVe siècle, à décor de grands lanternons étoilés, comme celui du Musée national de Bavière, jadis étudié par Kurt Erdmann, ou le tapis « Wind » reparu en 1994 sur le marché londonien[21]. Enfin, quelques exemplaires de l'Anatolie de l'Est, autrefois conservés à Divrigi, et qui pourraient refléter l'art des Kara Koyunlu ou des Ak-Koyunlu, tissent des liens avec les tapis du Caire[22]. Par ailleurs, deux groupes mixtes, comprenant d'un côté les « Para-Mamelouks » et de l'autre, les tapis de « Damas » présentent dans leur facture et leur décor des caractéristiques appartenant à la fois à l'Égypte et à l'Anatolie. Ils seraient issus d'une zone intermédiaire, soumise à l'autorité des Mamelouks jusqu'en 1516, et qui s'étendrait entre Adana et la capitale de la Syrie.

Les décors à caissons de la Turquie

Avec les tapis turcs à caissons, on retrouve la vivacité d'écriture de l'Anatolie. Ils reçoivent souvent le nom de «Holbein à grands motifs », par référence au tableau des *Ambassadeurs* où le maître allemand a représenté un tapis similaire. Leur formulation décorative est peut-être plus ancienne que celle des tapis à effet de pavement. D'ailleurs, les miniatures ne montrent pas beaucoup de tapis de ce genre. On ne les relève que dans deux illustrations destinées à un *Kalila wa Dimna* copié en 1343, à l'époque des Ilkhanides[23]. Il est possible que cette composition à larges motifs appartienne davantage à la partie occidentale de l'Orient musulman. Les caissons, disposés en alignement sur le champ, semblent reproduire des lanternons, dont la base circulaire ou octogonale, reposerait sur des trompes. La ressemblance est si grande qu'on peut penser que ce sont des dessins d'architecture qui ont servi de modèles au décor. Comme pour les tapis mamelouks, il s'agirait de la projection en plan d'une superstructure. Toutefois, les Turcs, jouant sur l'ambiguïté, se sont arrangés pour que le lanternon épouse aussi la forme d'un « gül » et s'agrège à leur vocabulaire tribal.

Les deux exemplaires du musée d'Art islamique de Berlin (cat. 15 et cat. 16), auxquels s'ajoute la pièce, non moins remarquable, du Musée cantonal de Valère (cat. 14), ont été éventuellement fabriqués dans la région de Bergama, en Anatolie de l'Ouest. À l'intérieur des caissons qui divisent le champ, les grandes roues bordées de fleurons, fortement silhouettées, semblent reposer sur du vide. Cette sensation d'ouverture, ou de percée vers le fond, est renforcée par un sombre bandeau floral encadrant chaque caisson et qui, par sa nature végétale, étrangère aux pures figures géométriques qu'elle entoure, semble appartenir à un autre plan.

Cette vigoureuse inscription du décor portée sur des fonds monochromes suscite des jeux optiques. Elle entraîne, là encore, l'ouverture de la profondeur par dissociation des plans. Selon leur valeur chromatique, certains motifs paraissent se placer à un niveau très proche, d'autres, plus en retrait. Le fond uni, rouge feu ou bleu nuit, donne l'impression d'être rejeté tout à fait à l'arrière plan, et s'entrevoit comme un Ciel mystérieux, inaccessible et originel. Ces effets de distanciations sont accentués par le contour incisif des figures et par le fort contraste offert par la bordure d'encadrement qui se perçoit en saillie par rapport au champ, un peu comme s'appréhende l'ouverture d'une fenêtre dont les montants restent dans l'ombre, ou le portique d'une scène de théâtre, derrière lequel une succession de décors serait posée.

Les tapis funéraires à constructions optiques et les compositions en miroir-plan

D'autres images, apparemment assez simples, reposent sur des constructions complexes. C'est le cas de ces tapis de prière anatoliens dont l'arcature comporte à la base une sorte d'inclusion alvéolée, en forme de trou de serrure. Ce sont probablement des tapis funéraires que l'on commandait en mémoire d'un défunt (cat. 17 ; cat. 18 ; cat. 19). De la pointe de l'arcature tombent une ou plusieurs lampes. Au centre, se déploie un médaillon scellé d'une étoile. C'est une image de la Lumière créatrice. Il faut la mettre en rapport avec un très célèbre passage de la sourate XXIV du Coran où il est fait mention d'une niche, d'une lumière et d'un arbre béni (*nûr 'ala nûr*, « c'est Lumière sur Lumière »), passage abondamment commenté par la pensée musulmane et qui a beaucoup inspiré les artistes. En dessous, figurent souvent deux triangles à degrés qui sont des minbars, des chaires à prêcher, venant souligner le caractère religieux de la composition. Un détail, placé parfois au sommet de l'inclusion alvéolée, signale la destination funéraire du tapis : ce sont des cornes de bélier, comme celles qu'on place très souvent, au Maghreb comme en Orient, sur la tombe des saints personnages, après la fête du Sacrifice, et parce que leur spire est un beau symbole d'énergie vitale. Dans cette hypothèse, la petite inclusion octogonale à la base du tapis n'est autre que le plan en réduction d'un turbé ou d'une koubba abritant un tombeau en son milieu; koubba dont le dessin en coupe – et en élévation – nous est donné par la grande arcature qui fait également office de mihrab.
Rappelons que ces édifices funéraires, à deux étages de tambours, construits par les Seldjoukides et les premiers Ottomans, s'inspiraient des yourtes en feutre, à plan centré et toiture conique, qui étaient l'habitat des Turcs d'Asie. L'image se déchiffre alors comme procèdent l'œil et la pensée pour appréhender une miniature dans laquelle les parties en plan (carrelage, tapis, bassin, cours d'eau), se juxtaposent aux parties dessinées en élévation (personnages, arbres fleuris, murs et portes) ; les premières faisant apparaître les secondes comme rabattues sur le fond. Nous sommes, en fait, à l'intérieur d'un édifice. L'arcature, les lampes, les minbars et

le médaillon du centre doivent se lire en élévation, la petite inclusion alvéolée, ouverte à la base, doit se percevoir en aplat. Elle donne, sur une échelle réduite, le plan et la clef de toute la structure.

Cette construction était trop religieuse pour être commercialisée. Les tisserands ou les maîtres d'œuvre l'ont transformée par toutes sortes de combinaisons. Ainsi l'exceptionnel exemplaire du Musée cantonal de Valère (cat. 20), reproduit en miroir la moitié de l'image, de sorte que le médaillon du centre se retrouve inséré entre quatre minbars formant cadre. Le tapis à médaillon tripartite du musée des Arts décoratifs (cat. 21), comme le tapis caucasien du musée Gulbenkian, (cat. 22), sont peut-être le résultat d'une transformation plus poussée encore. Les alvéoles octogonaux, retournés, sont reliés au centre par un bassin quadrangulaire. Quoi qu'il en soit, l'image est ancienne. On la retrouve dans quatre exemplaires attribuables aux XVe-XVIe siècles, autrefois déposés dans la mosquée de Divrigi. Privée de sa verticalité, l'image prend un tout autre sens; elle devient une sorte de miroir-plan reflétant le Ciel des Invisibles et captant diverses combinaisons de polygones. Ce bassin renvoie du même coup aux anciennes croyances religieuses des Turcs, lesquels avaient coutume d'interroger la «face de l'eau» parce qu'elle avait vu le visage de Dieu ou qui criaient à l'eau leur détresse, penchés sur la margelle d'un puits[24]. Il était intéressant, en enjambant les siècles et les espaces, de rapprocher ces pièces orientales du «tapis-jardin» de Rabat, où les influences anatoliennes et andalouses se côtoient. Il ménage, dans plusieurs encadrements d'azulejos et de fleurs stylisées, un petit bassin central d'un dessin parfait (cat. 23).

fig.3
HANS LE JEUNE HOLBEIN,
Les Ambassadeurs, 1533.
National Gallery, Londres.

Les compositions à morphologies abstraites constituent peut-être le plus beau moment de l'histoire du tapis. À cet égard, il faut rappeler l'attrait que ces ouvrages venus de Turquie ont exercé sur les peintres du Quattrocento. Ils leurs proposaient des constructions de formes pures, affranchies des lois de la perspective, et recelant d'autres modes de perception que ceux qu'ils venaient de réinventer. Et par là peut-être, d'autres états de conscience. On peut imaginer la résonance de cet art venu d'un Orient considéré comme sans âge sur les milieux cultivés de la Renaissance: les kabbalistes chrétiens de Venise ou les platoniciens de Florence. On en recueille un écho dans les inventaires de l'époque mentionnant les tapis turcs à rouelles sous le nom de : « tapis à nœuds salomoniens ». Ces tapis philosophiques, qui paraissaient représenter une structure secrète de la matière, étaient volontiers déployés sous les pieds de la Vierge, puisqu'elle-même, aux yeux des compagnons de Dante, résumait la Sagesse[25]. Ainsi placés, ils ne donnaient pas seulement une solution élégante pour le premier plan du tableau, mais introduisaient dans l'œuvre une *quarta dimensio*, un espace visionnaire qui rouvrait le temps des Mages, des Prophètes et des Sibylles « aux davidiques dicts »[25].

Le style intermédiaire

Les tapis à effet de grille
et les compositions à cartouches juxtaposés et à étoiles

Dans la seconde moitié du XVe siècle, ce style géométrique laissera la place à des formes plus amples. Elles conduiront au magistral décor à médaillon central qui marquera l'apogée du style de cour. Ainsi, après avoir brisé la clôture des formes polygonales, le tapis adopte des thèmes de grilles ou de *hijab* (voile), ce maillage céleste derrière lequel se dissimule le Ciel du Trône. Puis viennent des décors plus audacieux, soit en cartouches, soit en étoiles juxtaposés. Dans ces constructions qui sauvegardent le principe du décor continu, fleurs et feuillages, élégamment stylisés, jouent un rôle assez important. Ce style de transition, qui semble s'acheminer vers l'empyrée, prépare l'éclosion de la Rose centrale.

À travers ce style plus large, se devinent les rivalités des puissances musulmanes en place. Aux confins de l'Iran occidental et de l'Anatolie de l'Est, règnent successivement les confédérations turcomanes qu'on appelle les Moutons Noirs (Kara Koyunlu), puis des Moutons Blancs (Ak Koyunlu), du nom de leur animal emblème. En 1465, Djahan Châh, chef des Moutons Noirs fait édifier la Mosquée bleue de Tabriz dont la décoration, librement inspirée de l'art chinois, aura tant de conséquences sur l'art du tapis. Dix ans plus tard, Uzun Hassan, chef des Moutons Blancs, fera revêtir de nouvelles céramiques la Grande Mosquée d'Isfahan. L'Iran de l'Est (Khorasan), est gouverné par un prince timouride remarquable, Sultan Hossein Bayqarâ qui, entouré d'artistes et de poètes, donne à Herat, son ultime éclat. À côté de ces cours turcomanes ou turco-mongoles qui ont fait fructifier l'héritage iranien, le jeune Empire ottoman, en pleine ascension politique, cherche à asseoir sa légitimité par des œuvres artistiques plus ambitieuses et plus raffinées.

Les tapis Lotto

Une des plus beaux tapis turcs de cette période intermédiaire sera le tapis « Lotto » qui doit son nom au peintre vénitien Lorenzo Lotto qui l'a retracé de son pinceau. Son décor de grille à éléments foliacés, jaune d'or sur fond rouge, traduit, sur un mode de ferronnerie végétale à éléments ouverts, l'ancienne combinaison de rouelles et de croix désignée sous le nom d'« Holbein à petits motifs ». Décor puissant, qui a séduit l'œil des peintres par la plénitude de ses couleurs et la vivacité de son graphisme. De sorte que les tapis « Lotto » apparaissent dans quelque quatre-vingts tableaux européens, sans qu'on puisse en clore la liste. Cette construction ornementale, destinée à des tapis commerciaux, a été reprise sur les métiers anatoliens pendant plus de deux siècles avec de menues variantes. Nous avons choisi de retenir la traduction villageoise et pleine de saveur du musée Jacquemart-André (cat. 25), qui est une version influencée, dit-on, par les kilims.[26] On la retrouve très exactement reproduite (à l'exception de la bordure), dans le tapis que Vittore Carpaccio, fait figurer dans une *Vierge à l'Enfant* de la cathédrale de Capodistria. L'œuvre peinte entre 1516 et 1523 met en lumière l'ancienneté de ces « Lotto » de style kilim, et montre que les ateliers domaniaux implantés autour d'Ouchak ont su adapter très vite, et selon leur mode d'écriture, les décors citadins.

Les ateliers d'Ouchak

Ouchak, mentionné dès 1487 dans un registre de douane du port de Caffa, constitue dans le dernier quart du XVe siècle, et tout au long du siècle suivant, le centre de production le plus actif de la Turquie ottomane. Tournés à la fois vers le commerce et l'ameublement des édifices de l'empire, ses ateliers éditeront d'innombrables décors, à partir semble-t-il, du règne de Mehmet Fateh (1451-1481). La petite ville, située dans le centre ouest de la péninsule, dans une région verdoyante bien arrosée par la rivière Guediz, par conséquent propice à l'élevage des moutons et à la culture des plantes tinctoriales, avait été probablement remarquée par l'administration de la Sublime Porte pour ses ressources naturelles et ses capacités manufacturières.[27] De plus, elle permettait de déplacer plus à l'ouest un foyer de production autrefois situé dans le turbulent émirat de Karaman, largement gagné au début du XVIe siècle par la propagande des chiites Alevis ; propagande que Châh Isma'îl entretenait en sous main. La répression lancée par Sélim Ier sera terrible. Quoi qu'il en soit, Ouchak, auquel il faut ajouter les bourgades de Selende et de Güre, portera sur ses métiers la plupart des décors envoyés par le Sérail, tout en gardant son écriture anatolienne. Sa technique de tissage, à deux passées de trame rougeâtre, dont l'une est très légèrement plus tendue que l'autre, est caractéristique. Sa palette de couleurs, composée de rouge tomate, de bleu sombre et de jaune doré, ne l'est pas moins. Au XVIIIe siècle, les commandes de l'État se faisant plus rare, Ouchak fabriquera les tapis dits de « Smyrne », pour le marché européen.

Le fragment à quadrilobes du Victoria and Albert Museum (cat. 29), d'une ancienneté peu commune, semble annoncer la naissance des tapis à grands motifs d'étoiles. Il représente une des premières créations importantes des ateliers d'Ouchak. Bien que rabouté par endroits, il est d'une majesté toute impériale. Certains traits le rattachent à l'art du Moyen Âge, comme ses motifs en nœuds coufiques ou sa construction en pavement de type continu. Ceci rappelé, on retiendra son curieux aspect de soie ikatée, turcomane ou chinoise. Les allusions à la Haute-Asie de Tamerlan sont d'ailleurs nombreuses : pivoines silhouettées comme celles qui figurent sur les céramiques de la nécropole de Châh-i-Zindeh, près de Samarkand, multiplicité des configurations axiales, parmi lesquelles se distingue le motif en double « r'Dorje » tibétain (*vajra* en sanscrit), image de la foudre, placée au cœur du grand quadrilobe. Tous ces emblèmes de l'ancienne puissance de Timour semblent avoir été remis au sultan ottoman. Sur le plan visuel, on remarquera l'effet de « percée » sur un autre Ciel, opéré par la découpe incisive des médaillons bleus. Ciel, ici entrevu, et que les Persans ne vont pas tarder à ouvrir.

Une des créations les plus justement célèbres des ateliers anatoliens est celle des tapis ornés de grands médaillons stellaires et qui reçoivent ordinairement le nom d'« Ouchak à étoiles ».

L'exemplaire du Metropolitan Museum (cat. 31) dans lequel les étoiles garnies d'une grille, alternent avec de petits médaillons losangés, en propose une version particulièrement somptueuse. C'est déjà un style d'empire, développé peut-être sous le règne de Mehmet II Fateh et réservé dans un premier temps à l'usage du Sérail.[28] Une fois encore, le décor fait référence aux édifices prestigieux de l'époque, spécialement à la Mosquée bleue de Tabriz édifiée par les Kara Koyunlu et dont les céramiques de revêtement présentent le même motif d'étoile à découpe de col chinois. Cette appropriation du répertoire sino-turcoman, «genre noble» par excellence, proclame l'hégémonie du nouvel État ottoman.

Du côté de l'Iran, le décor à effet de grille est représenté par un curieux fragment (musée d'Art islamique de Berlin), provenant du Nord-Ouest de la Perse, dont la grande bordure, parée de pivoines et de lotus – et non plus de caractères pseudo-coufiques – reflète une innovation redevable aux ornemanistes timourides de la seconde moitié du XVe siècle. Le champ blanc, coupé d'écoinçons est couvert d'un motif de grille à rinceaux se rattachant lui aussi à l'art présafavide (cat. 32). Un autre fragment exceptionnel, également conservé à Berlin, est attribuable aux ateliers de Yezd ou de Kirman. Son décor en cartouches étoilés et en rondeaux polylobés pourrait reproduire un carton édité sous les derniers Timourides, même si son exécution est un peu plus tardive. On retiendra la beauté de son écriture décorative unifiant les thèmes végétaux aux lignes géométriques (cat. 33). Quoi qu'il en soit, il est l'équivalent persan des tapis turcs à quadrilobes ou à grandes étoiles tissés dans les ateliers d'Ouchak.

L'image du Trône

Au tout début du XVIe siècle, un autre concept décoratif se fait jour, celui des tapis « à médaillon central ». Sa fortune est liée à l'Iran safavide (1502-1722), même si la Turquie reprendra le thème avec *brio*. Dans ces tapis de format très allongé, le champ porte au centre

fig.4
Shemse, Histoire des prophètes et des rois de Tabarî, école persane, 1470.
The Trustees of the Chester Beatty Library, Dublin.

une condensation lumineuse, composée de fleurs et de feuillages subtilement ordonnés. Dans les exemplaires les plus anciens, le contour de ce plérôme végétal épouse la forme d'un cercle légèrement polylobé, ou encore d'une magnifique étoile à seize pointes. Par la suite, un médaillon en amande, une « mandorle », dont les extrémités donnent naissance à deux pendants par l'effet d'une nouvelle densification, sera souvent adopté. Sur le plan iconographique, le décor est largement tributaire de la Chine, soit dans le détail, puisque pivoines et lotus sont entremêlés de nuages « tchi », soit dans les grandes lignes, puisque les médaillons secondaires, placés en quadrants, empruntent la découpe en volutes des cols chinois. Ce vocabulaire sino-persan, ou sino-turcoman est un vocabulaire « noble », réservé aux ouvrages officiels, et qui s'élabore progressivement à partir des Ilkhanides, les souverains mongols de l'Iran. Il prendra toute sa mesure à Samarkand et à Herat, sous le règne de Tamerlan (1370-1404) et de ses héritiers, à la suite de nombreux échanges artistiques avec la cour des Mings. Somme toute, il s'agit d'une image dont on peut retracer l'histoire à travers la céramique et l'enluminure, notamment ces ex-libris qu'on appelle *debacha* ou *shemse*, mais c'est la première fois que les ornemanistes osaient placer au centre d'un meuble destiné à être foulé aux pieds une représentation aussi explicite de la Lumière.

Si l'image est turcomane, le concept est iranien. Il récapitule des thèmes et des notions qui remontent au mazdéisme et qui furent repensés en termes musulmans à l'époque médiévale par toute une lignée de philosophes dont le plus saillant est Sohravardi (exécuté à Alep, en 1191), le théoricien de l'*Ishraq*, de la Sagesse orientale[29]. Ainsi, ce motif symbolise, soit l'ancien *Xvarnah* de l'Avesta, Énergie ou Lumière-de-Gloire qui traverse tout l'Univers et qui se manifeste en nimbe lumineux autour des Rois et des Prophètes (cette aura que les mazdéens, les bouddhistes et les chrétiens placent derrière les saints personnages), soit un de ces plérômes célestes, une condensation d'Intelligences et de Lumières que le mazdéisme, puis l'islam médiéval, échelonnent entre le Créateur et le monde des sensibles et qui, lui aussi, émane de la même Origine et du même Principe[30].

Il a fallu un stimulus décisif pour que cette figure radiante, abondamment utilisée un siècle auparavant pour orner les plats de reliure, les frontispices de corans ou la voûte intérieure des coupoles (comme celle qui surplombe le mausolée de Kunya Urgench en Asie centrale), soit enfin admise dans la décoration des tapis et s'impose dans toutes les cours musulmanes comme le genre à la mode. Si certains tapis à médaillon ont pu apparaître très tôt, par exemple, sous les Ilkhanides, comme l'attesterait un exemplaire récemment acquis par le Musée national du Koweit, et plus encore sous les Ak Koyunlu de Tabriz et les Timourides de Herat, le succès définitif du décor doit être mis en relation avec l'instauration de la monarchie safavide et l'étrange personnalité de son premier souverain. En 1502, Châh Ismâ'îl, chef de la confrérie safawiyya d'Ardébil, renverse les Ak Koyunlu et redonne à la Perse une dynastie nationale. À la cour de Tabriz, il attire les meilleurs artistes du temps ; entre autres, le peintre Behzad qui a dû quitter Herat pour devenir le chef de sa Maison du Livre et qu'accompagnent plusieurs disciples, parmi lesquels Qasim'Alî. Il va sans dire que ces tapis monumentaux à fins motifs curvilignes, aux coloris nombreux (on en compte parfois jusqu'à dix-sept), sont des produits de luxe, émanant d'ateliers travaillant en relation avec la cour, ses artistes et ses commanditaires. Mais il y a plus. Le jeune souverain de seize ans qui a imposé à l'Iran le culte des Douze Imams – le chiisme duodécimain – est entouré de Turcomans Kizil-Bash (les Bonnets Rouges), qui l'ont porté au pouvoir et qui le vénèrent comme une nouvelle manifestation de l'Imam 'Alî, voire de Dieu même. Il est le Refuge du Monde, le Soleil, le Trône, le Pôle, la Vérité créatrice (*el-Haqq*)[31]. Il convenait dès lors aux grands tapis de cour de Tabriz, dont la fonction « situative » était ici particulièrement sollicitée, de mettre en scène ce principe de souveraineté homologué à la puissance divine par une figure évoquant tout à la fois le Trône céleste et la Lumière des Imams.

Ces tapis à médaillons, à versions nombreuses, presque toujours noués en nœuds persans (asymétriques), ont été créés dans des ateliers divers et difficiles à identifier. Les plus anciens pourraient provenir de Tabriz, alors capitale du royaume, mais aussi de la ville de Lahidjan où s'était réfugié Châh Isma'îl dans sa jeunesse et qui, selon le père Raphaël Du Mans, vendait aux Vénitiens de la soie et des « tapis veluz »[32]. Cette première production comporte souvent des chaînes et des trames en coton. Plus tard, d'autres tapis de prestige ont pu être fabriqués à Qazvin, résidence de la cour à l'époque de Châh Tahmasp (1524 –1576). Toutefois, il semble qu'après la défaite de Tchaldiran (1514), la production se soit déplacée dans les villes du centre, plus à l'abri des incursions ottomanes. Ainsi les œuvres en soie sont généralement attribuées à Kachan, ou à Isfahan ; d'autres, parées à l'excès de sujets animés, (le groupe « Sanguszko »), présentent des techniques de type « vase » associées aux ateliers de Kirman.

On doit faire mention du tapis d'Ardébil puisque c'est le paradigme du genre. Conservé au Victoria and Albert Museum de Londres, il était autrefois déposé dans le sanctuaire de cheikh Safi, ancêtre de la dynastie. Long de onze mètres et demi, noué en laine sur une chaîne en soie avec une dextérité extraordinaire, il déploie une rosace à seize mandorles flammées qu'environnent des myriades de fleurs en étoiles dispersées sur un fond bleu nuit. L'œuvre, exempte de toute figure animée, est empreinte d'une majesté mystérieuse, conforme à son affectation. En haut du champ, un cartouche, portant deux vers de Hafez et le nom du maître d'œuvre, Massoud Kashanî, indique la date d'exécution : 1539 (règne de Châh Tahmasp)[33].

Le décor à médaillon, conçu pour servir le messianisme de la dynastie, évoluera sur la courbe de l'Histoire. La pièce du musée des Arts décoratifs de Paris illustre parfaitement une phase initiale qu'on pourrait qualifier de « proto-safavide » tant elle réfère au siècle qui précède et tant son symbolisme est intériorisé (cat. 35). Le dessin presque circulaire de son médaillon central, ourlé d'un pourtour de nuages repris plus loin vers le centre, n'appartient pas exactement aux arts du livre. Ces nébulosités concentriques qui n'apparaissent que dans de rares exemplaires (Museum of Fine Arts de Boston, musée Bardini de Florence), ouvrent une troisième dimension, une profondeur qui pourrait être celle d'une coupole ou plutôt la voûte ultime d'une tente princière comme celles qui étaient en usage à l'époque de Tamerlan, et que Clavijo, lors de son ambassade à Samarkand, décrivit et admira[34]. La cour de Tabriz, où les Kizil-Bash d'Azerbaïdjan occupent les plus hautes charges, et pour lesquels Châh Isma'îl compose des poèmes dans le dialecte qui est le leur, se souvient de son héritage turcoman. Le même caractère asiatique se remarque dans le traitement du champ, entièrement recouvert d'un ordonnancement de nuages « tchi » et de lotus, d'une austérité toute ilkhanide. La majestueuse bordure en *tabula ansata*, en cartouches et rondeaux, n'est pas sans rappeler celle qui encadre les tapis mamelouks. L'ensemble comporte des parties nettement hiérarchisées. Les lotus (on se souviendra du *Lotus de la Limite*, image coranique marquant la frontière entre deux mondes), et les banderoles de nuages peuvent se lire comme les éléments d'un Ciel – celui des Fixes – au milieu duquel s'ouvre un Ciel plus subtil et plus pur, qui est celui du Trône.

Dans ces versions anciennes le symbolisme céleste est nettement exprimé. Le tapis du musée Gulbenkian (cat. 36), attribuable au règne de Châh Isma'îl, constitue à cet égard, une véritable pièce de référence, dans la mesure où elle exemplifie un décor conçu pour la gloire des premiers Safavides. Les quadrants, qui garnissent les angles du champ, reconduisent le regard vers le centre et équilibrent la composition. Sur le fond, les rinceaux décrivent des cercles plus amples et plus souples. Au centre, l'étoile à seize pointes, simplement meublée de fleurs radiantes, s'entoure d'un pourtour de nuages marquant la séparation des plans et la hiérarchie des parties.

C'est cette formulation « savante » qui a servi de modèle au tapis provincial de la Keir Collection (cat. 37) fabriqué dans le Nord-Ouest de l'Iran et dont le charme retient l'attention. La vivacité de son graphisme – qu'il partage avec l'exemplaire anatolien ou azerbaïdjanais d'inspiration voisine (fig. 38) – montre combien il serait hasardeux de subordonner la réussite d'un décor aux intentions philosophiques qu'il recèle, ou d'établir une quelconque supériorité des « tapis d'ateliers » sur les tapis villageois. Les premiers, dans leur conformité au carton et leur perfection technique, sont souvent affligés d'une certaine froideur. En fin de compte, c'est l'image et son écriture qui suscitent le symbolisme. D'ailleurs, malgré leurs ambitions et les moyens qu'ils engagent, les tapis de cour n'échappent pas aux contraintes du métier. Le médaillon central, quand il adopte le dessin d'une étoile, présente invariablement huit ou seize pointes dont deux, celles du haut et du bas, correspondent aux deux fils tendus au milieu de la chaîne, et à partir desquels le lissier ordonne son ouvrage. On en verra une conséquence dans le médaillon du tapis d'Ardébil dont les émanations en amande ne sont pas au nombre de douze ou de quatorze, comme on pourrait s'y attendre, puisque ces nombres sont ceux des Imams ou des Quatorze Immaculés (les Imams, le Prophète et Fatima), mais au nombre de seize, conformément au dictat du métier.

Du reste, le symbolisme ira en s'affaiblissant. À la fin du règne de Châh Tahmasp, au cours duquel on avait multiplié les paysages visionnaires autour du médaillon, le décor se fait plus aimable, plus précieux, mais aussi moins inspiré. On le voit avec le petit Kachan en soie du musée Gulbenkian (cat. 40), au dessin parfaitement conduit, mais dont le médaillon quadrifolié est meublé de figures animalières. Sur le plan historique, le déclin du thème pourra être mis en relation avec la relégation progressive des seigneurs Kizil-Bach. Leur disgrâce, qui sera définitivement consommée avec la politique de Châh Abbas et le développement de son capitalisme d'État, ira de pair avec la disparition du décor.

Une image au service de la souveraineté ne pouvait laisser la Turquie indifférente. Dès le règne du Sultan Bayezid II (1481-1512), le Sérail par le biais des ateliers d'Ouchak en donnera une version « sunnite » qui se distinguera de celle de la Perse.

Le monumental Ouchak « Gillet » du Musée des Tissus de Lyon (cat. 39) en donne une bonne illustration. Il s'agit d'un Ouchak à médaillon sur fond bleu, version plus soignée et plus rare que les Ouchaks à médaillon sur fond rouge. La première, probablement réservée aux édifices religieux de l'empire, étant comme la version nocturne et mystique de la seconde. La formulation du décor a peut-être été mise au point dans l'entourage de Cheikh Hamdullah, le maître calligraphe de Bayezid II (1481-1512). Elle s'inspire, cette fois encore, du répertoire sino-turcoman des Timourides et des Kara Koyunlu. On en prendra pour preuve l'intérieur d'un plat de reliure protégeant le *Mathnavi* de Roumî, exécuté à Herat pour le Sultan Hussein Bayqarâ II et qui rassemble, à peu de chose près, tous les motifs du thème.[35] Toutefois, dans le tapis turc d'Ouchak, le médaillon en amande, dont l'entourage crénelé évoque le Ciel du Trône, est précédé et suivi d'un médaillon identique dont le dessin s'amorce en bas et en haut du champ.

Cette succession, qui maintient *in extremis* le principe du décor continu, met l'image en mouvement comme sous l'impulsion d'une horloge nocturne et cosmique (nyctalère). L'amande rouge feu qui règne au centre devra laisser la place à une autre toute pareille. Et il en est de même pour les étoiles en forme de lotus, ou de double col chinois, qui l'encadrent. À cette impression de mouvement, s'ajoute la vive sensation de la séparation des figures dans la profondeur : l'amande rouge feu se perçoit plus en avant, les étoiles bleu pâle en retrait, la constellation des pivoines jaunes, privées de ligne de contour, plus en arrière encore. Au-delà s'entrevoit, à une distance incalculable, le bleu nuit du champ, sans images. Tout se passe comme si les figures du décor se déplaçaient chacune sur son Ciel, conformément aux conceptions astronomiques de Ptolémée, telles qu'elles sont illustrées par les beaux manuscrits turcs du XVIe siècle[36]. Dans cette hypothèse, celui qui regarde le tapis, est au centre du système. Placé sur la Terre, il est environné de sphères ou de cercles concentriques. Le Ciel suprême, le plus extérieur et le plus lointain, celui de la Divinité, est sans mouvement. Alors que les autres portent une Planète et une couleur, le dernier, insaisissable et incompréhensible (l'Aïn Sof des kabbalistes), est toujours rendu, comme sur le fond du tapis, par une teinte sombre et non constellée[37].

À travers ces constructions s'affrontent deux théologies. Alors que le tapis persan suggère, dans l'équilibre de son image, une reconduction vers le Centre, une métamorphose dictée par la Lumière, ou une assomption - car il n'y a pas, pour les philosophes imâmites de substances séparées - le tapis turc, en réintroduisant la notion de mouvement et de temporalité, réaffirme le principe de la transcendance et le caractère essentiellement transitoire du créé. D'ailleurs, son écriture, qui procède par juxtaposition des contraires, tend naturellement à l'exprimer : une forme est annulée par une forme identique, une couleur primaire par une autre de la même valeur ; et toute Puissance qui se succède à elle-même, au sein d'une construction continue, est appelée à être abolie.

Les Fleurs emblématiques

Le dernier grand décor de l'Orient musulman empruntera le langage des plantes. Ce style purement floral paraît tout d'abord en Turquie ottomane, à l'époque de Soliman le Magnifique (1520-1560), pour fêter les belles heures de son règne. On l'attribue à un artiste de Tabriz venu faire carrière à Istanbul : Châh Kuli. Plus tard, sous le règne de Mourad III (1574-1596), un autre Tabrizi, Wali Jan, donnera plus d'opulence et d'étrangeté à ces thèmes. Aux feuilles plumetées et recourbées comme des roseaux (le style *saz*), se mêlent les boutons de lotus inspirés de l'art chinois (le style *hatayî*), auxquels s'ajoutent cinq fleurs encore, aimées des Turcs, et qui deviendront les emblèmes de l'Empire ottoman : l'œillet, la tulipe, la jacinthe sauvage, la tige de prunus et l'églantine. Toutes ces plantes sont prisonnières de l'orage et ondulent dans un mouvement emporté. Formes, couleurs et parfums tourbillonnent. Somme toute, par un retour instinctif des effets vers les causes, on demandait aux fleurs de la Terre d'évoquer le monde de la Splendeur, par la subtilité de leurs échanges et de leurs émanations.

Mais ces thèmes, si vigoureusement traduits dans les céramiques d'Iznik, auront dans les tapis ottomans quelque chose de toujours contraint et d'embarrassé. L'adéquation entre le style et la technique ne s'est pas produite. Comme il s'agissait de motifs curvilignes et délicats, le Sérail, au lieu de s'adresser aux ateliers d'Ouchak qui leur auraient imprimé les vives couleurs anatoliennes, s'était tourné vers les ateliers du Caire, pour obtenir une qualité de nouage comparable à celle de la Perse. C'est ainsi que ces tapis ottomans de style floral prendront les couleurs et la facture des tapis mamelouks : les teintes vertes et dorées, le rouge cramoisi, la chaîne jaune tilleul et le nouage serré en nœuds persans. Nous ne nous attarderons pas sur ce phénomène de transfert. Le musée d'Art islamique de Berlin possède un fragment fort éloquent (cat. 44), qui établit le lien entre les décors mamelouks et les décors floraux ottomans. Par ailleurs, il est possible que les ateliers d'Istanbul, ou de Bursa, aient fabriqué des tapis floraux selon les mêmes techniques, mais dans des décors plus ambitieux. En 1585, le Sultan Mourad III demanda au gouverneur du Caire de faire venir à Istanbul onze noueurs de tapis avec un approvisionnement de laine. Tel pourrait être le cas des fragments du musée de Berlin qui arborent un style vraiment impérial (cat. 46 et cat. 47). La plus grande réussite de cette production ottomane est sans aucun doute les tapis de table, tissés à quatre pans retombants. Le Victoria and Albert Museum en possède un exemplaire particulièrement élégant où le médaillon central, destiné à reposer sur le plateau, mêle aux fleurs traditionnelles de la Turquie un curieux motif en bandes ondulées, venu semble-t-il de l'Inde bouddhiste, et qui est un des anciens emblèmes de Tamerlan (cat. 45).

Les Jardins du Ciel

C'est la Perse qui donnera à ces décors floraux toute leur mesure. En quelque sorte, ils revenaient chez eux. Les premiers tapis parés de ce nouveau style ont peut-être été tissés à Qazvin, quand la cour safavide y résidait. Mais si Herat et Isfahan abordent ces thèmes avec succès, en organisant l'image sur un point central, ce sont les tisserands de Kirman, sous le règne de Châh Abbas Ier (1588-1629), qui produiront la formulation la plus originale et la plus saisissante. Sur leurs métiers, le décor développe un immense treillis de fleurs fantastiques dont les corolles, abritant en leur cœur d'autres corolles, s'étagent sur toute la hauteur du champ. Des vases, reposant sur des cornes d'abondance, le plus souvent représentés sur le treillis, ont donné à ces pièces le nom de « tapis vase ».

Leur technique de fabrication, particulière aux villes tisserandes de la Perse centrale, notamment de Kirman, mérite examen. Entre chaque rangée de nœuds s'intercalent trois passées de trame ; la première et la troisième, sont en laine et fortement tendues ; la médiane, plus lâche, est en soie ou en coton. On ne voit pas bien la raison de ce procédé qui, à l'usage, se révèle aberrant, car il entraîne une trop grande différence de niveaux entre les fils de chaîne et, en surface, fragilise le velours. On peut penser que cette technique permettait, soit d'insérer plus facilement le nœud sur la chaîne, soit de donner plus de poids à la pièce et partant, plus d'adhérence. C'est d'ailleurs ce problème d'adhérence que visent à résoudre les longues mèches nouées au revers du fragment de Berlin (cat. 53). Quoi qu'il en soit, ces tapis, pour la plupart monumentaux, étaient probablement tissés sur des métiers verticaux à ensouple rotative permettant de dérouler et d'enrouler la chaîne au cours de la confection. Certains fragments comme celui du Musée historique des Tissus de Lyon (cat. 51), devaient appartenir à des pièces de treize à quinze mètres de long (le même gigantisme affecte les tapis de l'Inde moghole, à la même époque). Prodigieux ouvrages textiles qu'on pouvait dérouler dans les rues ou les places publiques et qui correspondent bien à ces produits d'ateliers destinés pour une part au domaine royal, alors en pleine expansion, d'autre part au commerce d'exportation que le roi lui-même encourageait[38].

Cette composition florale à caractère étrange est redevable aux ornemanistes qui travaillaient dans l'entourage de Châh Abbas, et dont les plus talentueux ont contribué à l'embellissement d'Isfahan, promue capitale du royaume en 1598. Bien des décors de mosaïques, comme ceux qui revêtent la Mosquée royale donnant sur le Maidan sont proches de nos tapis : même vases soutenus par des cornes d'abondance, même déploiement de treillis fleuris. Parmi les artistes les plus appréciés de l'époque, citons le peintre Réza Abbassi, chef de la Maison du Livre et ornemaniste à ses heures, puisqu'il participa à la décoration de la mosquée Lotfollah ;

son fils Safi, spécialiste des thèmes de bordures, et Mîr-Emad dont le talent était reconnu jusqu'en Inde. Il s'agit d'un milieu savant, ouvert au courant néoplatonicien de la Perse, tel qu'il était enseigné alors par Mîr Damad, Cheikh Bahâ'aï, ou le jeune Mollâ Sadrâ Chîrazî, futur maître de l'École d'Isfahan.[39]

Aussi ces décors « vase », à grands réseaux floraux, derrière lesquels transparaissent d'autres maillages plus subtils, ne sont pas dépourvus d'intentions. En s'échappant d'un vase assimilé à une corne d'abondance, ces treillis déroulant sans fin leurs ramures, renouent avec le thème sémitique et mésopotamien de la Vie renouvelée et féconde, symbolisée dans les Écritures par la vigne d'Isaïe.[40] Mais surtout, ils illustrent une fois encore le thème des Cieux de Lumière, (*aflâk nûranîya*), ces cieux idéalement superposés, déjà mentionnés à plusieurs reprises et qui ne sont pas sans rapport avec l'astronomie spirituelle de l'époque. En quelque sorte, la construction reprend, en la grossissant comme par une loupe, le réseau fleuri qui entourait le médaillon du tapis d'Ardébil, mais choisit désormais de s'arrêter loin du centre. Enfin, ces corolles de fleurs, percées d'une autre fleur, opèrent une curieuse ouverture vers le fond, vers le lieu des origines. Cette forme qui en génère une autre par évidement, n'est pas sans rappeler le décor intérieur du palais d'Ala Kapi à Isfahan. Les curieuses niches creusées dans les parois du Tchini-Khané, n'abritent aucun objet réel, (par exemple un flacon), mais choisissent d'en suggérer l'idée par leur découpe extérieure.

La postérité du décor-vase sera immense. Si les premières versions adoptent une construction aérée, comme l'exemplifie le rare fragment du musée de Lyon (cat. 50), les suivantes prendront l'aspect d'une forêt luxuriante que les Persans qualifiaient eux-mêmes de « *jungali* ».[41] L'étonnant fragment du musée des Arts décoratifs (cat. 55), ainsi que la pièce monumentale du musée de Lyon (cat. 51) sont les témoins d'un style porté à son apogée.

 la fin du XVIIe siècle, les formes iront vers un assèchement des contours, comme le montre le fragment du musée Gulbenkian (cat. 54). Curieusement, dans les dernières années de la monarchie safavide, la production de ces tapis sera transférée dans les ateliers du Nord-Ouest, voire, dans les anciennes manufactures du Caucase que Châh Abbas avait créées. Mais cette migration du décor ne s'arrêtera pas aux frontières de la Perse. Les Turcomans d'Asie centrale, en particulier les Yomoud, traduiront ces fleurs selon leur écriture héraldique. Et la simplification qu'ils impriment à la composition remet en évidence l'inspiration stellaire qui s'y cachait.

L'histoire des décors nous est en grande partie connue. Nous savons que l'image produite est largement tributaire, au départ, du travail des ornemanistes et du dictat des cours. Traduite dans l'art du tapis, elle prendra volontiers, par le biais du métier, une dimension toute autre. Car cette écriture à deux dimensions, auxquelles s'ajoute la profondeur du velours, est propre à susciter des perceptions étonnantes. Face à certaines œuvres, on a l'impression de pénétrer dans ce royaume que Henri Corbin désignait sous le nom de *mundus imaginalis*, un monde intermédiaire, situé entre le monde sensible et le monde intelligible, et qui est à tout à la fois le lieu des manifestations visionnaires et une faculté latente de la psyché. En quelque sorte « un lieu d'apparitions », où les idées prennent formes et où les matières se subtilisent. Mais quelles que soient les interprétations qu'on puisse proposer, il faut reconnaître que l'Orient, dans ses créations artistiques, a montré un génie hors du commun et un entêtement admirable. Au début du XVIe siècle, au moment où les Européens, en partant à la découverte du globe et des techniques, précipitent le cours de l'Histoire, l'Orient musulman se tourne encore une fois vers le centre, vers le lieu des origines, et demande à ses artisans de faire descendre le feu dans les choses, l'Univers dans une coupe, le Ciel dans un tapis.

fig.5
TAPIS À DÉCOR FLORAL STYLISÉ
réalisé à Kouba (Caucase) au XVIIIe siècle.
Musée Calouste Gulbenkian, Lisbonne.

1 Hirsch U., « The fabrics of deities and kings », *Hali*, n° 58, août 1991, p. 104-111. Et aussi, De Jonghe D. : « Technique du tissage à l'époque pharaonique », cat. exp. *Égypte, la trame de l'Histoire*, Durand M. et Saragoza F. (éd.), Paris, 2002, p. 28 –31. **2** Schwaller de Lubicz I., *Her-Bak « Disciple »*, Flammarion, Paris 1956, p. 161. **3** Vandenbroeck P., *L'Art des femmes berbères,* coll. Azetta, Gand-Amsterdam, 2000. p. 91-93. **4** Vandenbroeck P., *op. cit.* cf. « Introduction », p. 9-17. **5** Fouilles du Professeur Rudenko, 1949. Le tapis de Pazyryk est noué en nœuds turcs (symétriques), à raison de 3600 nœuds au dm². Cf. Zick-Nissen J. *Archäologischer Anzeiger* (Berlin), 1966, n°4, p. 569-581 et S.I. Rudenko, *Frozen Tombs of Siberia*, Londres 1970, traduction anglaise de l'édition russe de 1953. Par ailleurs, les deux contre-bordures en griffons qui encadrent le champ en damier, réfèrent curieusement à ce que mentionne Hérodote à propos des Scythes, dont l'or est gardé par des griffons. **6** Ghirshman R., *Parthes et Sassanides;* coll. Univers des Formes, Paris, 1962, p. 226 et *sq.* **7** À ce vêtement du sol qui, en passant de la tente à la maison, restera dans le monde musulman le meuble par excellence, la langue arabe fera la part belle. Plus de vingt termes y font référence, renvoyant tantôt à la fonction, tantôt à l'origine, au décor ou à la technique. Le Coran le désigne par quatre mots : *bisât*, *farsh*, *namâriq* (tapis d'Irak), *zarbiya* (tapis à rayures). On peut ajouter à ces termes coraniques *sejjad* : le tapis de prière ; *hanbal* : le tapis à bandes du Maghreb ; *khali* : « tapis » pour les Turcs et les Persans (mot éventuellement tiré de Khalikhala, ancien nom d'Erzerum) ; *zûlîya* : un grand tapis très orné ; *zilu* : un tapis tissé en armure double ; *mahfura* : un tapis présentant des motifs ciselés en relief ; *namat* : un tapis qui sert de surtout ; et encore *tinfisa* (un mot d'origine grecque ?) ; et *khûmra* expression andalouse qui donnera en espagnol *alfombra*. Ces termes sont parfois chargés de sens ou de valeurs indiqués par l'étymologie. Si le *sejjad*, tiré du verbe *sajjada* qui signifie « se prosterner » désigne, de ce fait, le tapis de prière, le *musallâ* est, de toute évidence, « le tapis-oratoire » décoré d'un mihrab. Le *bisât*, tapis de grand format, est relié au verbe *basata* : « déployer, étendre » ; mais il évoque aussi la dilatation du cœur et du souffle dans la poitrine : *mabsout* : « être content » – ou encore l'immense déploiement de la Création : *al-basita* : « la terre, le monde ». « Dieu a établi pour vous la Terre comme un tapis », Coran, sourate LXXI, « Noé », verset 19. **8** Cf. Shalem A., « Forbidden Territory », *Hali*, n° 99, 1998, p.70 et *sq*. **9** Erdmann K., *The History of the Early Turkish Carpet,* Londres, 1977, p.7 et *sq*. En 1905, 8 pièces furent trouvées dans la mosquée 'Ala'eddin de Konya par F.R. Martin, puis déposées à Istanbul, au Turk ve Islâm Eserleri Müzesi (Ibrahim Sérail). Leur format allongé, leur large bordure épigraphique, leur décor strictement cloisonné leur donnent un caractère d'austère grandeur qui les rattache à l'art du Moyen Âge et qui les distinguent du reste de la production anatolienne. On les attribue à la période d'apogée du sultanat seldjoukide de Konya, avant les invasions mongoles de 1243. À ces tapis, complets ou fragmentaires, s'ajoutent 3 pièces un peu plus tardives (fin du XIIIe siècle), découvertes vingt-cinq ans plus tard par R. Riefstahl dans la mosquée Esrefoglû de Beyshehir. Cet ensemble est complété par 7 petits fragments exhumés à Fostat (Vieux Caire), noués plus finement, mais qui appartiennent indiscutablement au groupe de Konya. Conservés au Musée National de Stockholm, ces vestiges ont été publiés par C.J. Lamm. **10** Nous empruntons cette image à Henri Corbin. Il a inspiré tout cet essai. Cf. Corbin H., *En Islam iranien, I, le shî'isme duodécimain*, Prologue, Paris, 1971, p. XX-XXII. **11** En s'emparant de l'Orient dans les années qui suivent la mort du Prophète (632), les Arabes ont fait tomber entre leurs mains à peu près toute l'aire tisserande du tapis, à l'exception d'une partie de l'Asie Mineure qui restera byzantine jusqu'à la fin du XIe siècle. Dès lors, de grandes quantités de tapis prélevées à titre d'impôts arrivent dans les capitales califiennes. Selon l'historien médiéval Ibn Isfandiyar (1217), le Tabaristan envoyait au calife abbasside al-Mansour (le fondateur de Bagdad), le même tribut qui était déjà prélevé sous les Sassanides, entre autres, 300 ballots de tapis et de molletons en soie verte. À propos du règne de son descendant al-Mamoun, Ibn Khaldoun, reprenant un passage du *Djirab al-Dawla*, signale qu'on expédiait à Bagdad 600 tapis du Tabaristan (nord de l'Iran), 20 tapis à motifs engravés d'Arménie (*busut mahfurah*), 120 tapis d'Ifrîqîya (Tunisie et Algérie de l'Est), etc. Sur la production des époques califales consulter R. Serjeant, *Islamic Textiles, Materials for a History up to the Mongol Conquest,* Beyrouth, 1972. Et Lombard M., *Les Textiles dans le monde musulman du VIIe au XIIe siècle*, Paris, 1978. **12** Cf. Baltrušaitis J., *Le Moyen Âge Fantastique*, Paris, 1981, p. 84-86. **13** Cf. Balpinar B. et Hirsch U., *Carpets, Vakiflar Museum Istanbul*, Wesel : Hülsey, 1988, p. 198-199, pl. 11 et p. 204 -205, pl. 14. **14** Wen-chi, fille d'un haut fonctionnaire sous la dynastie des Han, est enlevée en l'an 195 par des Hsiung-nu – des Huns hephtalites –, et emmenée en Mongolie intérieure. Rachetée au bout de douze ans par des émissaires chinois, elle revient dans sa famille, mais sans les enfants nés de son union avec le chef nomade qui l'avait retenue. Les peintures illustrant cette histoire célèbre (qui a connu plusieurs versions), datent de l'époque Song et reflètent par conséquent le monde nomade de l'époque, en particulier celui des turco-mongols Liao Khitan, reconnaissables à leurs coiffures et à leurs vêtements. L'album le plus ancien (XIIe siècle), est conservé à Boston, au Museum of Fine Arts, deux autres copies de la fin du XIIIe siècle sont déposées à New York, au Metropolitan Museum of Art et à Taipei (Taïwan), au musée du Palais National. Et ce sont ces deux copies plus tardives qui montrent des tapis curieusement apparentés aux tapis de Bergama. **15** Louis Bazin et Altan Gokalp, préface de Yachar Kemal, *Le Livre de Dede Korkut, dans la langue de la gent oghuz,* p. 41 et 42. Remarquons que le format proche du carré réfère implicitement à la surface de réception inscrite dans le périmètre de la yourte (qui est sans mât central), ou à celle qui correspond à l'auvent de la tente. Quant à la distribution en 5 points, conforme aux 5 orients des Turcs et des Chinois (celui du milieu appelé *orta* étant le plus important), on la retrouve dans la répartition, sous la tente, des hôtes de marque dans le *Livre de Dede Korkut*, *op. cit.* p. 117. Cette spatialisation censée reproduire la structure du cosmos est déterminante dans l'art du tapis, qu'il soit turc ou persan, et se retrouvera dans le tapis à médaillon central entouré de quadrants. **16** Par exemple, dans Balpinar B. et Hirsch U., *op. cit.* p. 182-183, pl. 3. **17** Dans le *Livre de Dede Korkut*, déjà cité, une des grandes figures de la geste est Kazan, Bey des Salur. Les Salur ou Salor, figurent parmi les vingt-quatre clans des Turcs Oghuz de la période anatolienne, cf. note de la p. 132. Cf. aussi Inalcik H., « The Yürüks, their origins, Expansions and Economic Role », Pinner R. et Denny W. (éd.), *Oriental Carpet and Textile Studies,* II, Londres, 1986, p.47. **18** La tente en coupole des Turcomans s'appelle en réalité : *öy* et non pas « yourte » qui est le sol qu'elle occupe. On distingue les tentes blanches *ak öy*, réservée aux invités ou aux jeunes époux et qui sont neuves, des tentes noires *kara öy* qui ont bruni avec le temps. Ces habitations circulaires sont construites sur des armatures en bois – en treillis pour les parois et en arceaux pour la toiture – recouvertes de feutre. Un ultime berceau, que l'on ferme, ou que l'on ouvre, pour laisser passer l'air, la lumière ou la fumée, couronne le sommet de la voûte. Ce volume intérieur favorise de lui-même un symbolisme spatial que vient souligner la décoration textile. À l'extérieur, une frise en banderoles de nuages ou en fleurons ceinture la toiture et n'est pas sans rappeler le pourtour crénelé ou polylobé des premiers tapis à médaillon central (cf. cat. 35). On est d'autant plus invité à faire ce rapprochement qu'au XVe siècle, les cours turcomanes de l'Iran et de la Haute Asie multiplieront les versions de luxe de cet habitat nomade, comme l'attestent de nombreuses miniatures. **19** Barrucand M., Bednorz A., *L'Architecture maure en Andalousie*, Cologne 1992, p. 189. Sur les curieux rapports entre la marqueterie des plafonds et le décor des tapis mamelouks cf. Housego J., « Mamluk Carpets and North Africa », *Oriental Carpets and Textiles Studies*, Londres, 1986, p. 221 et *sq.* **20** Maqrizi, 1853, p. 73-74. Ibn Taghribirdi, 1956, p. 44-45. **21** Cf. *L'Art du tapis dans le monde*, Paris, 1996, p. 76, pl. 49. **22** Cf. Balpinar B., Hirsch U., *op. cit.* p. 178-179, pl.1; p. 180-181 pl. 2 et p.198-199, pl.11. **23** *ibid.*, p. 45 fig. 2.8. **24** Cf. la préface de Altan Gokalp dans le *Livre de Dede Korkut, récit de la Geste oghuz,* Paris 1988, p. 42, et Roux J.-P., « Dieu dans le Kitab-i-Dede Korkut », *Revue des Éudes islamiques*, 43/1, p.123-140. **25** En associant Marie à la Sagesse, les compagnons de Dante rejoignaient la théorie avicennienne de la connaissance qui identifie l'Intelligence active, (la dernière des dix Intelligences émanées, la plus proche de nous, et qui ne se confond pas avec l'intellect), à l'Esprit-Saint et à l'archange de l'Annonciation. Il faudrait reproduire en entier la page que H. Corbin consacre à la manifestation angélique, ainsi que le passage du *Mathnawî* de Jalâloddin Rumî qu'il cite à propos : « Devant l'apparition d'une surhumaine beauté, Devant cette forme qui fleurit du sol comme une rose devant elle, Comme une Image levant la tête hors du secret du cœur... Ô Maryam regarde bien, car je suis une Forme difficile à percevoir... ». Mathnawî, III, 3771 [88] Henri Corbin, *En Islam iranien, IV, l'école d'Ispahan*, Paris, 1972, p. 51-53. **26** Grant Ellis Ch., « The "Lotto" Pattern as a Fashion in Carpets », *Festschrift für Peter Wilhelm Meister*, Hambourg, 1975, p.20-23. **27** Les ateliers d'Ouchak et les bourgades avoisinantes bénéficiaient des mines d'alun de la région (pour la teinture des laines, l'alun est employé comme mordant), et de l'excellente variété de garance tinctoriale (*kökboya*), cultivée à Koula. Cf. Inalcik H., « The Yürüks », *Oriental Carpet and Textiles Studies*, II, p.54. On trouve, dans la même étude, la mention d'Ouchak dans le registre de douane de Caffa, p. 56. **28** Sur ce sujet consulter l'étude de Raby J., « Court Export : Part 2. The Ušak Carpets » *Oriental Carpet and Textiles Studies*, II, p. 177- 187. **29** C'est également Sohrawardî qui, en dégageant la théorie du *mundus imaginalis*, (*'alam al-mithâl),* donne un fondement philosophique à l'expérience visionnaire laquelle peut avoir tant de conséquences sur l'activité artistique ou la découverte scientifique. Henri Corbin, *En Islam iranien, aspects spirituels et philosophiques, II, Sohrawardî et les Platoniciens de la Perse*, Paris, 1971. **30** Corbin H., *Corps Spirituel et Terre céleste*, Paris, 1979, p. 39-40. **31** Sur ce sujet cf. Aubin J., « La politique religieuse des Safavides », *Le Shi'isme Imâmite,* Paris 1970 et Melikoff I., « Les Bektashis-Alevis et l'Iran », *Iran, les sept climats*, Paris 1972. Et aussi Minorsky V., *Tadhkirat al-Muluk, A Manuel of Safavid Administration*, Londres, 1943. **32** « Or avait Syach Ysmail, au temps de la mort de son père, seulement huyt ans environ. Mais quelque petit et jeune qu'il fust, il luy fut nécessaire de s'enfuyr pour crainte de la mort y s'en alla bien loing, c'est assavoir en la province de Geylan, prochaine de la mer Caspienne voisine de la Tartarie, et s'arresta en une cité nommée Lezian, de laquelle viennent à Venise plusieurs draps de soye et tapis veluz ». Père Raphaël Du Mans, *L'Estat de la Perse en 1660*, publié et annoté par Schefer, Paris, 1890, p. 263. **33** Pour une description ancienne du sanctuaire d'Ardébil et des tapis qui s'y trouvaient, on aurait intérêt à consulter les *Voyages de Corneille Le Brun par la Moscovie en Perse et aux Indes Orientales,* Amsterdam, 1718, tome I, p.169-170. Le Hollandais Corneille Le Brun séjourna en Perse entre 1703 et 1704. **34** Gonzalès de Clavijo R., *La Route de Samarkand au temps de Tamerlan*, trad. Lucien Kehren, Imprimerie nationale, Paris, 1990, p. 222, 238 et 241. **35** Cf. Gilles R., « Le Soleil proposé en énigme : regard sur le tapis Ouchak à médaillon du musée du Louvre », *Revue du Louvre*, n° 4, octobre 1997, p. 56, fig. 6. L'intérieur de ce plat de reliure est également reproduit dans le cat. exp. Lentz Th. W. et Lowry G. D. (éd.), *Timur and the Princely Vision*, p. 295. **36** Nous songeons particulièrement aux belles illustrations du *Châhinchâh-nâma*, manuscrit ottoman de la seconde moitié du XVIe siècle. Par ailleurs, cette astronomie spirituelle à laquelle nous faisons allusion, réfère à la métaphysique des essences chez Avicenne ; essences ou Intelligences dont les successives émanations, assurant la médiation de l'Un au Multiple, suscitent chaque fois un Ciel et une Âme motrice (mouvement communiqué par le désir de retourner au Principe). En sorte que les Dix Émanations correspondent aux Sphères majeures ou englobantes (Sphère des Sphères, Sphères des Fixes, sept Sphères planétaires, Sphère sublunaire). Cette théorie n'est pas sans correspondance avec la physique céleste de Ptolémée. **37** Corbin H., *Corps Spirituel et Terre céleste,* p. 100. « Or nous savons que dans le système de Ptolémée, la 9e Sphère qui englobe la totalité des Sphères célestes et leur communique le mouvement diurne, a pour caractère propre d'être un Ciel non constellé. » **38** Châh Abbas est l'instigateur d'une sorte de capitalisme d'État. Il fait établir à Isfahan, non loin du Maidan, de nombreux ateliers (*karkhaneh*), qui travaillent pour le domaine royal. Les artisans reçoivent parfois des terres dont ils payent l'usufruit par le produit de leur labeur, ou bien ils sont payés par l'administration des domaines selon des tarifs établis avec précision. Cf. sur ce sujet Minorsky V., *A Manuel of Safavid Administration*, Londres, 1943, p. 30. **39** Sur les rapports entre artistes du livre et mouvements philosophiques cf. Minorsky V., *Calligraphers and Painters, A Treatise by Qâdi Ahmad, Son of Mîr-Munshï (1606)*, Washington, 1959. **40** Isaïe, 27,2. **41** Le terme « *jungali* » a été relevé par Arthur Upham Pope dans sa monumentale étude de l'art persan : *A Survey of Persian Art*, 12 vol. Londres, 1967, p. 2372 et *sq.* **42** Dans les meilleurs cas, on a en effet l'impression que le tapis, comme certaines miniatures, parvient à évoquer ce que la mystique persane appelle la « Terre de *Hûrqalya* », le lieu où esprit et corps ne font qu'un, ou tout au moins à communiquer la sensation d'une Présence. Cf. Corbin H., *Corps Spirituel et Terre Céleste, op. cit.* Prologue, p. 24.

LE TAPIS D'ORIENT DANS LE MIROIR DE L'OCCIDENT

Joëlle Lemaistre

Pour l'Occident, le tapis oriental a toujours constitué un objet de découverte et de surprise ; il se propose comme une énigme, un Orient intemporel, un ailleurs aux intentions cachées. Aujourd'hui encore, le tapis, miroir des Invisibles, n'a pas perdu son pouvoir de séduction auprès des amateurs.

Les tapis orientaux en Occident

Manuscrits à peintures, chroniques et inventaires, amènent à penser que les tapis d'Orient parviennent en Europe dès la fin du Moyen Âge ; mais c'est à la Renaissance que commence réellement leur importation en Occident. Leur succès est immédiat et considérable auprès des Européens qui ont le privilège de les découvrir : souverains, dignitaires, princes de l'église qui se tournent alors vers les peintres pour qu'ils en fixent les étonnantes constructions. Conquises par ces objets de luxe et de curiosité, les maisons princières ne tardent pas à les commander directement aux ateliers orientaux.

De leur côté, les peintres les adoptent car ils offrent à leur palette la divine surprise de la couleur et le mystérieux attrait de leurs morphologies abstraites. Avec ses signes mystérieux, pleins d'une vivante énergie, le tapis leur propose l'image d'un Orient rêvé et intemporel, capable d'introduire le sacré dans un sujet religieux comme de souligner la dignité d'un haut personnage.

C'est tout d'abord en Italie, un des pays les plus proches des sources d'approvisionnement, que les tapis apparaissent dans les fresques peintes, notamment chez Giotto qui les place souvent dans le cycle consacré à la vie de saint François d'Assise, réalisé un peu avant 1300. On les voit sacraliser l'espace, et souvent, résoudre le délicat problème du premier plan, dans les œuvres des écoles alors actives, (*Mariage de la Vierge*, école siennoise ; *Vierge à l'Enfant*, en majesté, école florentine). Au XVe siècle, ils enrichissent non seulement l'éclatante production du Quattrocento, mais également la peinture religieuse de l'école flamande, où des maîtres comme Jan van Eyck ou Hans Memling les représentent avec grand soin sous les pieds de la Vierge en trône. Au XVIe siècle, ils sortent de la sphère du religieux et permettent aux artistes de camper la puissance d'un souverain, comme en témoignent les nombreux portraits du roi Henry VIII d'Angleterre, ou de signaler la noblesse d'un dignitaire ou l'opulence d'un bourgeois. Il faut attendre le début du XVIIe siècle pour que les tapis soient traités comme de purs éléments décoratifs, notamment dans la peinture d'intérieur, hollandaise et française, où ils sont alors jetés sur des tables ou suspendus en toile de fond - comme chez Vermeer, Le Nain, Nicolas Tournier (fig. 1). Dès lors, ils apportent leur pittoresque aux scènes de genre ou aux compositions intimistes (Chardin).

C'est ainsi que les peintres vont laisser leur nom aux différents types de tapis et s'attacher pour toujours à leur histoire. Par commodité, tout le monde sacrifie à ces conventions qui évitent de longs descriptifs. Il y aura donc, habitude oblige, des Memling, des Holbein, des Lotto, des Bellini, des Crivelli, des Ghirlandaio. Quoi qu'il en soit, la peinture offre un champ d'études d'une fertilité inépuisable. Par ses dates d'exécution qui nous sont généralement connues, par l'exactitude de ses représentations, elle est une des rares sources fiables permettant de retracer la création des styles et l'évolution des décors, parallèlement aux pièces qui nous sont parvenues.

L'Occident s'essaye à exécuter ses propres tapis noués

On a peu de renseignements touchant la fabrication de tapis en Europe, durant le Moyen Âge. La technique orientale du point noué n'a pas tout de suite été imitée, ou alors sous des formes assez aberrantes qui semblent obéir à d'autres traditions, comme le fort curieux tapis historié de Quedlinburg en Basse-Saxe, commandité par des religieuses à la fin du XIIe siècle[1]. Par ailleurs, les chroniques nous apprennent que le sol des demeures princières était plutôt garni de nattes en fibres végétales.

En France, l'art du tapis aurait été introduit par le biais de l'Espagne où les Maures étaient nombreux à le pratiquer. La diffusion de la technique serait aussi redevable aux croisades. Saint Louis (1214 -1270), prisonnier plusieurs années en Orient, pourrait avoir rapporté des tapis d'Égypte ou de Terre Sainte. Étienne Boileau, prévôt des marchands sous son règne, fait état, parmi d'autres, de la corporation des *tapiciers sarrazinois* établie dans l'île de la Cité.

Il faut attendre le xviie siècle pour que la fabrication des tapis devienne une affaire d'État. Henri IV accorde en 1608 à Pierre Dupont l'autorisation de « fabriquer des tapis à l'imitation du Levant ». En 1630, est créée la Manufacture royale de la Savonnerie. Deux autres fabriques voient le jour un peu plus tard à Aubusson et à Felletin ; toutes s'inspirent des modèles orientaux : mamelouk, ottoman, persan, moghol... Par la suite, les tapis bénéficient des cartons envoyés par les peintres et évoluent vers un style plus européen ou plus français. Au milieu du XVIIIe siècle

la production de ces ateliers d'État a tendance à supplanter l'importation. Puis, au lendemain de la campagne d'Égypte (1798-99), l'intérêt pour les tapis orientaux se fait de nouveau sentir.

D'autres expériences de tissage de tapis existent en Europe, en Hongrie, en Pologne. Certaines pièces, fabriquées en Angleterre, sont si bien exécutées, si proches de leurs modèles, qu'elles passèrent longtemps pour orientales comme les tapis du duc de Buccleuch qui n'ont dévoilé leur origine que tout récemment, grâce à l'analyse de leur technique.

En Espagne, dès l'époque des califes de Cordoue, les historiens arabes ont attesté une production de tapis. Ceux qui ont subsisté ne semblent pas antérieurs au XVe siècle pour les plus anciens, ce qui est déjà tout à fait remarquable. Letur et Valence, notamment, produisaient des tapis en utilisant le nœud dit « espagnol » qui était enlacé plusieurs fois sur un seul fil de chaîne, puis sur le fil consécutif à la rangée suivante ; une technique qui se retrouve également dans certaines régions du Maroc. Dans le dernier siècle de la Reconquête, l'Espagne importe des tapis d'Anatolie et les recopie selon ses procédés habituels. Les « Holbein à grand motifs » apparaissent dans les inventaires sous le nom de « tapis à roues d'Alcaraz ». Cependant l'expulsion des musulmans et des juifs (lesquels comptaient d'excellents teinturiers), au XVIe siècle, entraînera le déclin irrémédiable de cette production.

À la fin du XVIIe siècle des ateliers de tapis et de textiles, à la manière orientale, sont établis en Pologne. Cette production fait l'objet de fortes demandes à l'exportation, notamment de la part de Venise. Mais il ne faut surtout pas confondre ces tapis qui n'ont pas subsisté avec les tapis dits « polonais », noués en soie et brochés de fils d'or et d'argent qui proviennent des ateliers de Kachan ou d'Isfahan fondés par Châh Abbas au XVIIe siècle. Cette dernière appellation vient de l'Exposition universelle de 1878 où avaient été présentées ces pièces persanes luxueuses – à l'origine, destinées par le châh aux cadeaux d'ambassades – et dont certaines semblaient porter les armoiries du prince Czartoryski.

fig.1
NICOLAS TOURNIER,
Le Concert,
musée du Louvre, Paris.
Dans les natures mortes, ou vies silencieuses, comme je me plais à les appeler, ce n'est pas un hasard si les instruments de mesure et de musique sont posés sur des tapis car ce sont, les uns et les autres, des mondes parfaits.

fig.2
TAPIS MAMELOUK,
imité à Aubusson vers 1750,
Dar al-Athar al-Islamiyyah,
Koweit.

Au Portugal, la petite ville d'Arraiolos produit à partir du XVIIe siècle des tapis à l'aiguille. Tout d'abord exécutés dans un style purement oriental, ils s'éloignent graduellement de cette influence pour s'occidentaliser complètement par la suite.

Toutes ces productions européennes sont nées, dans un premier temps, du désir d'imiter les prestigieux « tapis du Levant » (fig. 2) en leur empruntant technique et décors ; elles ont toutes évolué vers un goût plus national en s'efforçant, semble t-il, de susciter leur propre marché.

Le tapis dans la peinture et l'imaginaire romantique

Les contacts avec les parties les plus lointaines du Levant se multiplient au XIIIe siècle avec le voyage de Marco Polo (1254-1324) et les ambassades franciscaines que les papes envoient au grand Khan des Mongols dans l'espoir de le convertir. *Le Devisement du monde* que Marco Polo dictera à la fin de sa vie, qui menait le lecteur du Caucase à la Chine, en passant par l'Iran, sera recopié puis constamment réimprimé. Et l'intérêt pour cet Orient si prodigue en merveilles ne se démentira jamais, bien au contraire.

Au XVIIe siècle la tendance s'accentue, stimulée cette fois par le capitalisme de l'Europe : marchands et aventuriers se lancent nombreux à la découverte de l'Orient. De retour de leurs expéditions, ils enflamment les esprits par leurs narrations enthousiastes et les légendes mystérieuses qu'ils colportent et accréditent. Les marchandises qu'ils rapportent, soieries, tapis, joyaux, excitent la curiosité, l'intérêt, l'envie et suscitent d'autres vocations. Aux récits de voyages comme ceux du chevalier Chardin ou de Jean-Baptiste Tavernier, viennent s'ajouter des rééditions ou des parutions d'ouvrages propices également à la découverte des idées et des arts venus d'Orient. La traduction française des *Mille et une nuits* par Antoine Galland paraît en 1704. En 1721

Montesquieu publie les *Lettres persanes*; en 1763 ce sont les *Lettres de Lady Mary Montagu*, l'épouse de l'ambassadeur d'Angleterre à Istanbul, qui apportent un témoignage direct et vivant sur les mœurs de la Turquie ottomane et sur l'intérieur des harems où elle a pu avoir accès.

L'intérêt est relancé après l'expédition d'Égypte, lorsque les savants et les artistes qui ont accompagné Bonaparte rédigent rapports scientifiques et comptes-rendus. En 1802, Vivant Denon publie *Voyage dans la Haute et la Basse-Égypte.*

Dans les milieux intellectuels, écrivains, peintres et musiciens éprouvent une fascination croissante pour tout ce qui concerne l'Orient. Parmi les premiers écrivains à s'y rendre : Chateaubriand, Lamartine, Flaubert, Gérard de Nerval. On fait désormais le voyage en Palestine, comme les gentilshommes français du XVIe siècle faisaient le voyage à Rome. Ceux que l'on nommera les peintres orientalistes leur emboîtent le pas. Même s'ils n'ont pas toujours visité le pays de la reine de Saba, ils n'en représentent pas moins dans leurs ateliers, à travers une technique soignée, un Orient rêvé et recomposé. Mais bientôt, le rêve ne suffit plus, le voyage en Afrique du Nord ou au Proche-Orient devient indispensable dans la formation d'un artiste. Des peintres comme Gérôme se rendent plusieurs fois au Moyen-Orient et en rapportent une documentation qui leur inspire des œuvres d'un réalisme méticuleux. C'est au retour d'un voyage au Maghreb, en 1834, qu'Eugène Delacroix peindra les *Femmes d'Alger dans leur appartement*; le beau tapis Kazak et le kilim qui figurent sur la toile ont sans doute été observés sur place.

Ce goût si prononcé pour l'orientalisme entraîne certains de ses adeptes vers un pittoresque de bazar, ou un imaginaire facile. La collection la plus représentative à cet égard est celle de Pierre Loti qui, dans sa maison de Rochefort, parmi un amoncellement d'objets glanés aux quatre coins du monde – y compris la reconstitution d'une petite mosquée rapportée pièce par pièce de Damas – disposera ici et là, au gré de sa fantaisie, toutes sortes de tapis (fig. 3).

C'est dans ce contexte de curiosité générale que seront organisées des manifestations d'une extrême importance pour la connaissance des arts orientaux. En 1867, a lieu à Paris la première Exposition universelle et, chose nouvelle, des tapis d'Orient sont présentés au grand public comme des exemples de produits manufacturés, notamment les fameux « tapis polonais ». C'est le point de départ des études sur le tapis, en particulier chez les amateurs allemands. En 1891 se tient à Vienne une grande exposition dédiée aux tapis, avec un amoncellement de pièces dont certaines très remarquables. Elle aussi stimulera les études scientifiques sur le sujet.

En 1893 s'ouvre à Paris la première exposition d'art islamique. Elle fait découvrir une esthétique différente, un art raffiné, précieux, et à l'époque encore inconnu du plus grand nombre.

Collectionneurs, antiquaires et marchands à l'aube du XXe siècle

Dans cette Europe industrielle, vite accablée de produits en série, il existe une sorte d'émulation parmi les amoureux d'objets rares et beaux, les *gentlemen*, les *happy few*, un plaisir dans la découverte qui, à côté des artistes et des rêveurs, poussent vers l'Orient marchands d'art et grands collectionneurs.

Albert Goupil, qui sera parmi les premiers à se former une collection de tapis, accompagne le peintre Gérôme au Moyen-Orient. Dans son intérieur qui nous est connu par le tableau de A.E. Duranton *Chez Albert Goupil,* les tapis sont suspendus au mur et non plus étalés sur le sol, comme par le passé. C'était là leur accorder un nouveau statut. Jusqu'alors, en effet, on

fig.3
LE SALON TURC
de la maison de Pierre Loti, Rochefort-sur-Mer.

hésitait à regarder les tapis comme des œuvres d'art à part entière. À ce propos, la démarche du grand marchand italien Stefano Bardini qui répugnait à vendre les tapis à l'unité, préférant les écouler par lots, est révélatrice. Mais au tournant du XXe siècle, les mentalités commencent à changer, au moment où collectionneurs privés et institutionnels constituent leurs collections. De riches amateurs d'art se tournent vers un marché qui s'approvisionne auprès de sources variées : biens aristocratiques, trésors d'église et antiquaires orientaux. Les importantes collections françaises, aujourd'hui fleurons de nos musées, se constituent : Gillet, Goupil, Maciet, Peytel, Doisteau, Rothschild. Certains, spécialistes érudits comme Wilhelm von Bode, sont alors tout à la fois marchands, collectionneurs et en charge de postes dans des musées, sans que l'on trouve à y redire, tant le domaine est encore vierge.

Travaux de recherche, études et publications sur le tapis

À la fin du XIXe siècle et au tout début du XXe, les premières études sur le tapis sont publiées. Ce sont les Allemands auxquels revient l'honneur de défricher le terrain et qui jettent les bases d'une démarche scientifique, notamment par l'examen méthodique de la peinture européenne où les tapis figurent, ce qui leur permettra d'établir une première chronologie des décors. Ils complètent ces données par la description des pièces anciennes déposées dans les musées et par des recherches documentaires sur les lieux éventuels de production. Le tapis est désormais considéré comme une expression artistique majeure, au même titre que la céramique ou le vitrail.

En 1868, Julius Lessing acquiert son premier tapis ; en 1877 il publie une somme sur le tapis *Altorientalische Teppichmuster*.

En 1906 paraît le livre du Suédois F.R. Martin *A History of Oriental Carpet before 1800.* En 1907, Sarre écrit *Mittelalterliche Knüpfteppiche kleinasiatischer und spanischer Herkunft* («Tapis noués médiévaux d'Asie Mineure et d'Espagne»).

Parallèlement au cercle des chercheurs, la société érudite et artiste des années 1890-1900 s'ouvre aux tapis et même aux kilims, comme elle s'est ouverte à l'art japonais ou à l'art océanien et, guidée par une démarche à vocation esthétisante et initiatrice, elle porte aussi un regard neuf sur un art affranchi de l'Occident. Mallarmé, fin amateur de tapis et de tapisseries orientales comme en témoignent les photographies de son appartement de la rue de Rome ou de sa maisonnette de Valvin, termine son «Sonnet en yx» par l'évocation d'une fenêtre ouverte sur un ciel nocturne, soudainement rempli par la Grande Ourse, qui est une image curieusement analogue à celle que propose un Ouchak à médaillon central dont le fond bleu nuit, peuplé de fleurs étoilées, se découpe dans l'encadrement formé par la bordure. Fantin-Latour et surtout Cézanne représentent des tapis dans leurs toiles. Le divan de Sigmund Freud, recouvert de tapis Qashqa'is aux signes mystérieux (fig. 4), et qui donnent l'impression de proposer à leur tour l'énigme de leurs figures, a largement mérité sa célébrité. Et ce n'est sans doute pas la dernière fois qu'on recherchera des correspondances entre le monde des images et celui de la psyché.

fig.4
LE DIVAN
DE SIGMUND FREUD
dans la salle de consultation
à Londres.
Freud Museum, Hampstead.

Le tapis face à l'explosion des arts décoratifs

En ce début du XXe siècle, un autre phénomène aura des conséquences dans la réévaluation du tapis d'Orient et dans le réajustement du regard qu'on porte désormais sur lui : l'explosion des arts décoratifs. Eux-mêmes, sous l'impulsion de peintres comme Matisse ou d'architectes comme Guimard, ne sont plus considérés comme des parents pauvres et dédaignés des arts majeurs. Et ce changement, une fois encore, donne au tapis un nouveau statut.

La création de l'UCAD (Union centrale des Arts décoratifs) s'inscrit dans cette perspective ; il s'agit de donner des modèles aux artistes, aux artisans, aux étudiants. On s'essaye donc à reproduire mécaniquement ou semi-mécaniquement les tapis d'Orient en s'inspirant d'une démarche qui avait si bien réussi avec les métiers Jacquard capables de recopier les châles espolinés du Cachemire. Les premières expériences techniques ont lieu, on enquête sur les motifs, on cherche à réconcilier le tapis avec les arts décoratifs, voire avec l'architecture : dans cette perspective s'inscrit, par exemple, l'effort de Leleu ou de Da Silva Bruhn pour créer des tapis en rapport avec la décoration intérieure ou l'enveloppe architecturale.

Ne crée pas un tapis qui veut, cependant, beaucoup tentent l'aventure. À Paris, dans l'entre-deux guerres et un peu après, des artistes de l'avant-garde se lancent dans la conception de tapis originaux, encouragés par un mécène qui sera aussi leur amie : Marie Cuttoli. Ainsi vers 1934-1935, André Derain signe le *Décor*, qui reflète sa fascination pour l'art africain.

Le tapis, éternel objet de séduction

À la question de savoir si le tapis continue de séduire et de susciter l'intérêt, le microcosme des amateurs répondra oui sans hésiter. Par une parabole singulière, l'approche actuelle rejoint celle de la Renaissance. Il s'agit à nouveau de décrypter les signes, d'interpréter ces constructions étranges et de retrouver les préoccupations philosophiques ou religieuses qui ont conduit à leur conception. On ne l'a jamais autant étudié, analysé, comparé. Cependant, le tapis a conservé de son mystère et attire toujours les supputations des amateurs. Cet art est un miroir où chacun, en se penchant, trouve moins une explication de ce qu'il cherche qu'un reflet de lui-même, ce qui est encore une explication.

La manière de présenter le tapis est également sujet à controverse, même s'il est généralement admis qu'il constitue une œuvre forte, éloquente par elle-même. Une optique nouvelle se fait jour, depuis peu, que traduisent des attitudes individuelles comme celles, par exemple, de Jim Dixon, Christopher Alexander ou certains responsables de collections particulières ou publiques. Depuis vingt-cinq ans, Jim Dixon, un Américain originaire du Nebraska, collectionne les tapis, sans qu'aucune tradition familiale l'y prédispose. Il a fait construire à Sonoma-County, en Californie, une maison spécialement conçue pour les abriter et les présenter à leur avantage. Ainsi, le mur du salon accueille un Ouchak du XVIe siècle, mesurant sept mètres sur quatre et n'accueille que lui. Il en est de même pour les quelque quatre cents pièces qui forment sa collection et qui sont toutes exposées avec intelligence.

Le Professeur Christopher Alexander, architecte de renom, possède lui aussi, au dire des experts, l'un des plus beaux ensembles de tapis jamais réunis par un collectionneur. Conscient du fait que l'état fragmentaire des tapis anciens permet parfois de les appréhender plus directement comme œuvre d'art, il s'est mis à collectionner les fragments. En 1990, il a présenté au de Young Museum de San Francisco, une exposition qu'il avait conçue, dessinée et montée. Il a choisi des partis forts et affirmés, comme celui qui consistait à n'éclairer que certaines parties des pièces et à n'utiliser autour des œuvres que des tons sombres qui en fassent ressortir, par contraste, toute la puissance chromatique. J'en garde personnellement un souvenir ébloui. Il s'est exprimé lui-même à ce sujet, disant qu'il avait réalisé le concept de l'exposition avec cette seule idée : « créer une atmosphère dans laquelle la véritable nature du tapis puisse apparaître et se révéler ».

En 1989-1990, lors de la première exposition de tapis montée à l'Institut du monde arabe, « Tapis, présent de l'Orient à l'Occident », le public a apprécié, semble t-il, une certaine théâtralité liée à la présentation de Richard Pedduzzi, homme de scène. Avec cette nouvelle exposition « Le Ciel dans un tapis », le visiteur devrait être sensible aux intentions qui ont guidé Patrick Mauger dans la mise en espace. Selon le désir des organisateurs, il s'est attaché à laisser s'exprimer la rutilance des couleurs et à mettre en évidence les savantes constructions optiques ordinairement cachées dans le tapis – miroir des Invisibles.

1 Leonie von Wilckens, « The Quedlinburg Carpet », *Hali*, n° 65, p.97-105.

LE TAPIS DANS L'IMAGINAIRE DE L'ORIENT

 Abdelkébir Khatibi

Pour des esprits bienheureux, épris de spiritualité, les beaux tapis sont comme des fragments de paradis, dispersés sur la terre et son ornementation onirique. Ainsi les puissances décoratives créent-elles, pour le regard de l'homme, des effets de féerie.

Par exemple, le tapis de prière. Une sorte de temple portatif, il est un espace sacralisé délimité qu'on ne doit jamais fouler, mais uniquement dérouler et l'enrouler après la fin de la prière. Donner au croyant l'impression d'être transporté vers le ciel ! La gestuelle de la prière islamique, faut-il le rappeler, se passe en trois positions, trois stases : la verticale, la courbe des génuflexions et la position assise. Quand on lève les mains au-dessus des épaules, on le fait à la hauteur des oreilles. Le corps, ses gestes, sont sacralisés, selon une géométrie spirituelle et symbolique, qui correspond bien à l'abstraction des dessins et motifs du tapis.

On connaît, dans l'art musulman, la correspondance active, activement onirique, entre le Paradis, le jardin et le tapis. Correspondance consignée dans la sourate *al-Ghashiyah* du Coran : « À cause de leur effort sur terre satisfaits, dans un jardin superbe, où ils n'entendront nul caquet, où sera une source vive, où seront des lits surélevés, des cratères posés, des coussins rangés, des tapis étendus » (versets 9-16).

L'art ornemental est un espace en expansion.
Il accompagne les autres arts dans leur esprit d'invention.
Quand on parle d'un beau tapis, on dit souvent qu'il a un rythme,
que son coloris chante,
ou que le tapis raconte une histoire, un secret,
et qu'il est disposé, en désir, à toute position érotique,
à toute prière, à toute supplique.
Le tapis est, pour l'homme, une demeure de signes.

La vie est répétition.
À la répétition, ne convient-il pas de donner
des formes et le plaisir des formes ?
Et l'un des principes de l'art n'est-il pas,
avons-nous dit, dans les variations de l'apparence ?
À cette parure du regard, il faudrait une pensée exercée
à l'embellissement du monde, à la naissance des fleurs
et des oiseaux sur une seule note de couleur.
Ce rythme dessiné est un jeu qui tresse notre pensée
en nouant la matière à la couleur, et celle-ci à la ligne.
Quand une tisseuse nous dit qu'elle est « hantée »,
il faut la croire : entre elle et ses tapis,
n'y a-t-il pas un désir de plaisance magique ?

Le bien-être du corps édénique et son expression, on les trouve dans le mot arabe même : *bissat*, tapis. Le verbe *bassata* et ses dérivés en ramifient la sensation de bonheur, d'aisance, de don généreux, de plaisir et d'égaiement, d'extension émotive et d'hospitalité favorable à la réjouissance, à l'amitié, au rire de l'amour. On les trouve aussi dans une certaine liberté du corps.

Être étendu sur un tapis, étendu comme lui, facilite la conformation sensible du corps, qui jouit de la joyeuse géométrie des motifs, des signes, des couleurs, de toutes les puissances décoratives qui ont des effets oniriques sur le regard.

Bissat veut dire également feuilles de l'arbre « somor » que l'on ramasse en les faisant tomber sur un tapis étendu sur l'arbre. Métaphore de ravissement poétique, donnant plus de plaisir à l'extension sensible du corps, qui est si forte dans l'imaginaire de la poésie arabe, depuis les bardes pré-islamiques. En prosodie, il existe un mètre qui porte le nom de *bassit*. Entre le tissage et le langage, il existe une profonde correspondance initiale. Dans une autre langue, le français, « tisser » et « écrire » ont la même origine étymologique.

Mais l'art du tapis a sa propre grammaire des signes et symboles. Il construit une géométrie onirique, qui participe à la variation ornementale des apparences. Dans cette exposition, on peut distinguer deux types d'ornements : des dessins se développant autour d'un motif central ou d'un médaillon, et des dessins qui se composent en symétrie (ou quasi-symétrie) à partir d'un axe central. Ainsi se dégagent plusieurs structures de base.

Le style d'un beau tapis commence quand le prototype
qui lui sert de référence
n'est plus qu'un souvenir, si bien que l'espace du temps remplit
deux fonctions décoratives :
garder la mémoire des signes (d'un groupe, d'une ethnie, d'une corporation…)
et en ajouter d'autres, qui soient inconnus,
inscrits dans une mémoire en devenir, le temps de l'art lui-même.
Ne parle-t-on pas dans la tradition chinoise du
« va-et-vient de la navette sur le métier à tisser cosmique » ?
C'est pourquoi,
dans l'esprit des enchantés,
apparaît parfois l'image du tapis volant.

Bestiaire, florilège : rien qu'une gerbe de signes.
C'est un calendrier à la fois magique et technique,
pour apprendre à regarder. Jamais l'art du tapis n'arrache le
regard
à sa violence intérieure, jamais il n'aveugle ou éblouit.
C'est d'admiration qu'il s'agit, et d'une admiration graduée,
mesurée, où chaque motif
d'éblouissement instantané est remis à sa place
par un autre, en une succession de clins d'œil.

Mais cette géométrie est une topographie qui sert de porte-mémoire aux hommes et à leurs croyances, à toutes ces suites de signes de zodiaque, de la flore et de la faune. Une archéologie symbolique y est à l'œuvre, de la pré-histoire jusqu'à la période islamique. Certains motifs, communs au tatouage et au tissage, tirent leur origine des cultes solaires qu'on découvre dans les gravures rupestres. D'autres motifs sont visibles sur les monuments de l'ancienne Égypte. Ils nous livrent un secret précieux : le corps des chefs libyens y est représenté avec des dessins de tatouage et de tissage. Cette topographie est animée par des traces de mémoire, de fragments décoratifs et de signes énigmatiques, qui, dit-on souvent, sont comme un langage perdu, dont il faut recomposer la signification, magique, religieuse, artistique. Ce qui fait la beauté d'un tapis, c'est, certes, l'alliance entre la matière, le signe et la couleur. À travers la magnificence de cette alliance, un rythme, un mirage, une féerie, autant de variations de l'apparence, favorables à l'état de quiétude spirituelle.

C'est donc un porte-mémoire collectif, qui entre dans une économie de l'échange. Un échange singulier : le marchand de bazar semble vous dire qu'il ne vous vend pas un tapis, mais un récit, un conte merveilleux, sorti des *Mille et une nuits*, comme le tapis volant au-dessus de Baghdad d'antan, le tapis naviguant du saint populaire, auquel j'ajouterai personnellement le tapis invisible qui guérit les aveugles. Tant il est vrai qu'on ne trouvera nulle part ce dernier tapis dans aucun catalogue muséographique.

Au spectateur, au regardant, le tapis offre un moment
d'identité a-temporelle.
Peu à peu l'espace s'anime dans la ressemblance : mosaïque ou broderie.
Qu'importe ce que le tapis rappelle à la mémoire!
C'est ce déplacement de signe en signe, c'est ce mouvement,
ce rythme qui provoque notre enchantement.
Ainsi vibre la troisième dimension.
Bel équilibre et gaieté du coloris qui nous forcent à rêver,
et peut-être à mieux penser. Comme tout tableau plastique,
il nous renvoie à notre intimité la plus chatoyante, tamisée de
figures,
de lignes, de points et de points de fuite.
L'art ornemental se reconnaît à cette qualité décorative,
qui n'est ni pause ni transparence, ni profondeur opaque.

On peut enrouler un tapis comme un talisman et le dérouler
sous la forme d'un hiéroglyphe.
C'est un bon génie qui accompagne l'espace
en le transformant devant vos yeux.
De là, l'impression d'une féerie improvisée, joyeuse, presque édénique.
Une féerie douée de bonté.
Tout tapis est extraordinairement moral,
il exorcise notre passion de voir,
la limitant dans son seul cadre d'impressions.

Presque tout l'art du tapis réside dans la concordance proportionnée entre la qualité de la matière, le coloris et les motifs. En islam, la palette symbolique des couleurs fait partie de l'histoire de cette religion et de cette civilisation. Le blanc, source de lumière, de paix, de lumière, est celui du drapeau des Arabes jusqu'à la fin de la dynastie des Omeyyades (661-750). Couleur à laquelle se substitue le noir, qui incarne la révolte des Abbassides (750-1258) contre les Omeyyades. Mais c'est le vert qui symbolise la résurrection pour les chiites ; c'est cette couleur qu'on porte au Paradis et qui accompagne, en chantant, la joie éternelle des Bienheureux, selon cette croyance.

La puissance symbolique de la couleur participe à l'esprit enchanté de géométrie qui caractérise l'art islamique et qu'on appelle communément l'Arabesque, qui écarte toute idée de ressemblance de l'homme à son image. L'homme est fait à l'image d'Allah qui est invisible.

C'est pourquoi le tapis fait partie de cette arabesque absolue où se jouent les correspondances multiples entre les différents arts du visuel : la miniature, la calligraphie, l'architecture et sa géométrie sacrale... La combinaison des signes y est à l'œuvre, par intersection, projection, différenciation, accumulation...

Les contraintes techniques de la matière (si friable) imposent à l'artiste du tapis un formalisme esthétique à la fois strict et ouvert. Il respecte et ne respecte pas la symétrie, il répète indéfiniment en variant quelques incidents de parcours, il sature le coloris sans le « noyer ». L'essentiel est d'aboutir à ces effets de simplicité élégante, si favorable à une sensation de quiétude et de joie.

La symétrie a une vertu : celle d'un semblant d'équilibre.
Ainsi que le Bien dans la morale des plus malins,
la symétrie exorcise la couleur
en la soumettant à un droit de regard :
Ici, c'est la fête en couleurs,
qui stimule l'harmonie des choses,
la stabilité du monde, le retour inexorable de la lumière.
Tous les signes sont à découvert, sans mystère, sans secret.
Aucune déconcentration, car « derrière les couleurs,
il y en a une qui nous regarde à travers elles ».
C'est ce que dit le poète.

Certains tapis sont orientés selon une direction linéaire, verticale
ou
horizontale, d'autres ont des directions interchangeables, qui
s'adaptent
à l'architecture et à l'habitation.
Il arrive même que plusieurs directions soient juxtaposées avec
une certaine
désinvolture vis-à-vis des règles de cet art qui est très codé.
Mais dans tous les cas, relevant de l'ornementation, l'art du tapis est
une calligraphie
des formes. Du dessin, il ne retient que son embellissement et,
de celui-ci,
rien que des effets, rien que des touches.

Telle fleur stylisée rappelle la nature, mais la nature n'est jamais représentée comme telle. La nature est une naissance à la beauté du signe, ce paradigme abstrait de l'Arabesque. Dans certaines miniatures persanes, le tapis est lui-même présent dans la scénographie, comme un personnage qui joue son propre rôle dans la vie : embellir, enrichir la rêverie optique, qui est le propre de l'art plastique.

Cette rêverie est active, dans la mesure où la présence sensible du corps redécouvre, à travers ces effets de tissage, le rythme, la voyance, le chant de la couleur, comme on dit.

C'est pourquoi cet art visuel s'adapte bien à la stabilité des formes fixes. Une stabilité donnant l'illusion d'arrêter l'écoulement du temps. De temps en temps, ici ou là, l'artiste du tapis brise cette monotonie, cette géométrie stricte et si répétitive. Intervient alors l'émergence de tel signe ou symbole, venu d'une contrée onirique non-identifiée, où éclatent les couleurs et les fragments de couleurs.

Mais l'art du tapis nous rappelle toujours à l'esprit enchanté de géométrie, qui est cependant combiné, ici, à l'esprit de finesse, tissé dans la minutie du détail, la variation des signes, à la recherche de leur équilibre dans cet espace visuel ouvert. La beauté d'un tapis est un mirage incarné, un chatoiement, favorable à la sensation d'une éternité fugitive, à la quiétude et à la sérénité de l'esprit. Enchantement et sérénité, telle est la puissance onirique de cet espace tissé, si bien que certains tapis ont, avec l'architecture, la même rigueur de construire les effets de l'espace d'une vie habitée, ornée de sensibilité géométrique. L'imaginaire de l'homme y séjourne, de temps en temps, en un désir de paix.

* Cf. notre livre *Du signe à l'image* (le tapis marocain), en collaboration avec Ali Amahan, Editions Lak international, Casablanca/Milan, 1994.

Il suffit de varier légèrement le coloris pour faire tourner un polygone étoilé,
et donner l'impression d'un temps floral, brodé de bonheur.
On croit et l'on ne croit pas au bonheur,
c'est là un effet de
mirage que crée
l'art ornemental.
On prend une impression pour ce qu'elle est,
à la surface d'une pure illusion.

La rosace est un motif majeur de l'ornementation.
Elle introduit le temps dans l'espace, il les enchâsse dans le même geste.
La rosace est une prodigieuse production de signes.
Pour arrêter son mouvement, il faut l'encadrer et saturer l'encadrement.
Elle est un vertige de symétrie.

Comme chaque motif capte un autre, soit par contiguïté, soit par similitude, l'art du tapis nous apprend à sa manière l'art de la trace et de la « filature ».
Ou si l'on veut, en passant, l'énigme du tapis
rappelle celle du bon roman policier.
Quand il découvre une trace, l'enquêteur envisage mieux « l'affaire »,
c'est-à-dire tous les cas de figure.

LES COLLECTIONS OCCIDENTALES

BASE DE LA RECHERCHE SUR LES TAPIS D'ORIENT

Friedrich Spuhler

La dernière grande exposition de tapis d'Orient de ce que l'on a appelé « l'âge classique » s'est tenue il y a plus de vingt ans à la Hayward Gallery de Londres[1]. Y figuraient les pièces imposantes en provenance des collections occidentales qui ont, dans ce domaine, marqué les temps forts de l'histoire de ces cent dernières années. Provenant de trésors d'églises, de collections impériales ou aristocratiques, plus rarement de conquêtes, elles ont toutes bénéficié de soins attentifs en Occident où elles étaient considérées comme des raretés exotiques très difficiles à remplacer.

Ce corpus à la base de l'histoire des tapis d'Orient de l'âge classique depuis 1892 est donc le fruit du hasard[2]. L'exposition de Londres, regroupait tous les types de tapis d'Orient réalisés pendant plus de trois cents ans, du XVe au XVIIe siècle. Un certain nombre de travaux villageois ou de nomades qui n'avaient pas eu l'honneur d'être placés devant des trônes ou des autels ni de décorer les tables de nobles n'avaient pas été pris en considération bien qu'ils aient été à l'origine plus nombreux que les tapis dits « classiques ». En Orient, ces objets étaient soumis à un usage intensif ce qui a fortement réduit leurs chances de survie. Ils ne se sont pratiquement conservés que dans les mosquées où ils étaient offerts à titre de *waqf* (fondation pieuse). La plus grande collection en provenance de mosquées se trouve à Istanbul au Vaklifar Muzesi et au Kelim Muzesi, son annexe[3]. Ces pièces révèlent une grande liberté dans le traitement des motifs, une indépendance totale vis-à-vis des modèles et le recours à des teintes très vives.

La collection du musée de Berlin possède au moins six des exemplaires achetés par Wilhelm von Bode presque exclusivement durant les deux dernières décennies du XIXe siècle. Dans la nomenclature de l'âge classique, on les considérait d'époque tardive car leur dessin était plus « fruste ». Le fait que tous ces exemplaires aient été retenus pour la présente exposition et qu'ils soulèvent à juste titre l'admiration aux côtés de leurs contemporains « classiques » est le signe d'une nouvelle conception muséographique. Jusque-là, nous ne pouvions isoler cette production « de second ordre » que dans les travaux ottomans (1281-1924). Il existe si peu d'exemples de la période turque seldjoukide qu'il est impossible d'opérer une distinction entre les tapis tissés dans les campagnes et ceux tissés à la cour.

Retenons ce point de vue pour examiner la deuxième famille de tapis, à savoir ceux qui nous sont parvenus des époques timouride (1370-1506) et safavide (1501-1722) : aucune des pièces n'aurait pu être réalisée pour des particuliers en dehors des cours princières. La même remarque vaut pour la période mamelouke (1250-1517) en Égypte ou moghole (à partir de 1517) en Inde ; dans ces deux derniers cas, les tapis étaient exclusivement destinés à la cour et à l'exportation, pour répondre à des commandes spéciales, par exemple les pièces armoriées.

fig.1
HANS LE JEUNE HOLBEIN,
Portrait du marchand George Gisze, 1532.
Gemaldegalerie, Berlin.

Origines et méthodes de l'histoire des tapis d'Orient

Julius Lessing, historien de l'art et directeur du Kunstgewerbemuseum de Berlin, procéda entre 1868 et 1879 aux premières acquisitions de tapis pour sa collection. Il s'agissait de pièces parvenues en Europe à l'occasion des Expositions universelles – en particulier celle de Paris en 1867 – et dépouillées de leur signification initiale en devenant des objets d'exposition. Dans sa quête de tapis anciens, Lessing se contenta de représentations dans des tableaux et publia en 1877 le premier ouvrage sur les tapis d'Orient, intitulé *Altorientalische Teppichmuster nach Bildern und Originalen des XV-XVI Jahrhunderts* (« Motifs antiques de tapis d'Orient d'après des tableaux et des originaux des XVe et XVIe siècles.»)[4]. La crainte manifestée de prime abord de ne plus trouver d'originaux datant de cette époque, se révéla infondée au cours des vingt années suivantes. En 1891, put être organisée à Vienne, essentiellement avec des pièces dites «classiques», la première exposition qui devait faire date.

Manifestant un grand enthousiasme «qu'il partageait avec les artistes et le public amateur d'art», Wilhelm von Bode était parvenu dans ce laps de temps à acquérir des pièces étonnantes.

Ce connaisseur réputé de la peinture et de la sculpture italiennes était un habitué des églises, des palais et des antiquaires de la Péninsule. Historien de l'art doté de tous les dons, il dénichait sans cesse de nouvelles peintures représentant des tapis et découvrait fréquemment le type d'ouvrage manufacturé correspondant; dans un premier temps, il acheta pour lui tout en conseillant des musées d'arts appliqués et des collectionneurs. Offerte à l'Islamisches Museum de Berlin pour son inauguration en 1904, sa collection de tapis en constitua le point de départ.

En 1892, il publia *Ein altpersischer Teppich. Studien zur Geschichte der westasiatischen Knüpfteppiche* («Un tapis persan ancien. Études de l'histoire des tapis noués de l'Asie occidentale»), un ouvrage traitant des tapis à motifs animaliers sur fond blanc datant des premiers siècle de l'Islam[5]. Il définit son propos comme «une tentative de dresser un tableau de l'évolution de l'industrie du tapis, de déterminer, au moins dans leurs grandes lignes, l'âge et la provenance des motifs isolés.»

En examinant les tapis safavides, il y décèle une influence chinoise (surtout la bande de nuages et la fleur de pivoine). Il entrevoit une évolution distincte en Asie Mineure. Il classe les tapis en fonction de leurs motifs: Ouchak à médaillons, à étoiles, ou à double niche ainsi que tapis «Lotto» et «Holbein» et, pour terminer, les Ouchak à fond blanc. Expliquant leur présence en Asie Mineure par le commerce, il se base, pour la datation et pour certaines appellations telles que «Holbein» ou «Lotto», sur des représentations de tapis dans les tableaux de ces peintres. La découverte d'un nombre croissant de ces figurations de tapis permit de mieux préciser les dates d'exécution en établissant un *terminus ante quem* pour plusieurs groupes de motifs. Cette information demeure un des hauts faits de la méthode scientifique dite «école de Berlin». Cet essai de Bode parut dans une version complétée en 1902 sous le titre *Vorderasiatische Knüpfteppiche* («Tapis noués du Proche-Orient»)[6]. Suite à la contribution d'Ernst Kühnel, la deuxième édition de cet ouvrage recevra le nom de Bode-Kühnel[7] et deviendra un des livres de référence sur les tapis classiques à points noués; il sera réédité quatre fois en allemand et deux fois en anglais.

À la demande de von Bode, Friedrich Sarre travailla à un volume destiné à compléter le *Wiener Werk* de 1892 (ouvrage monumental en 10 volumes édité avec le soutien des autorités impériales) qu'il avait structuré en respectant des critères ornementaux, par exemple les tapis persans à arabesques et à rinceaux, à motifs animaliers ou floraux et qu'il limita exclusivement aux tapis safavides[8]. C'était en effet le vœu de Bode, gêné par le mélange, dans les trois premiers volumes, des tapis «classiques», avec des pièces des XVIIIe et XIXe siècles. Pour la première fois, il eut largement recours à une autre particularité de «l'école de Berlin»: l'examen des récits de voyageurs européens des XVIe et XVIIe siècles mentionnant des tapis en rapport avec les villes et les provinces de l'Empire safavide.

La chambre de commerce de Lyon inaugura son musée d'Art et d'Industrie dès 1864. Bien que la conservation des textiles ait été son seul objectif, on n'hésita pas à acheter deux magnifiques tapis d'Orient lors de la vente aux enchères de la collection A. Goupil[9]. Et, en 1902, Raymond Cox put faire figurer vingt-quatre tapis au catalogue du musée historique des Tissus[10].

fig.2
TAPIS ARDÉBIL
réalisé pour la mosquée d'Ardébil (Iran) en 1530. Victoria and Albert Museum, Londres.

Un des autres enchérisseurs de la collection Goupil était le musée des Arts décoratifs de Paris. Toutefois, là, on avait commencé depuis une dizaine d'années, dès 1878, à compléter le fonds, notamment par l'acquisition de deux tapis du Caucase d'époque tardive. Cette politique d'achat se poursuivit jusqu'à la Première Guerre mondiale sans relâche mais sans coup d'éclat non plus.

Parmi toutes les collections publiques, c'est sans conteste le Victoria & Albert Museum de Londres qui mit à profit avec le plus de zèle les trois dernières décennies du XIXe siècle pour se porter acquéreur non seulement de tapis safavides classiques mais aussi de pièces provenant d'Égypte et de Turquie. L'achat en 1890 de son fameux tapis Chelsea n'avait pas fait grand bruit.

Mais les choses changèrent trois ans plus tard lorsqu'il fut décidé de lancer une souscription pour rassembler la somme nécessaire à l'acquisition du légendaire tapis d'Ardébil[11]. À partir de ce moment, le public anglais accepta l'idée que l'on pouvait consacrer à un tapis d'Orient classique la même somme que pour une « œuvre d'art » occidentale.

L'acquisition de quatre-vingts pièces jusqu'en 1900 témoigne de l'enthousiasme manifesté à Londres dans ce domaine.

La situation aux États-Unis était totalement différente de celle qui prévalait en Europe. Lorsque Wilhelm Reinhold Valentiner organisa, en 1910, au Metropolitan Museum l'exposition « Loan Exhibition of Oriental Rugs », il put ainsi choisir quarante-deux tapis au sein de dix collections particulières[12]. Le nombre total des pièces exposées s'élevait à cinquante, Berlin et le Fine Arts Museum de Boston ayant envoyé chacun une pièce et le Metropolitan de New York, six. Trois de ces tapis provenaient de la vente de la collection Yerkes et ce sont sans doute ces achats qui motivèrent l'exposition. Le musée sut par la suite faire partager à des collectionneurs privés son engouement pour les tapis, si bien que Maurice Sven Dimand put faire figurer au début de son catalogue des remerciements à Charles T. Yerkes, Joseph L. Williams, James F. Ballard, Benjamin Altman, John D. Rockefeller Jr., George H. Myers et Joseph V. McMullan.

Il conviendrait ici de parler des centaines des collections qui n'ont laissé que peu de latitude au musée dans la constitution d'un ensemble obéissant à des critères scientifiques.

Un des exemples caractéristiques de l'esprit d'initiative américain dans ce domaine est le Textile Museum de Washington D.C. : sa collection de tapis d'Orient et de textiles est extraordinaire. Son fondateur, George Hewitt Myers, aurait fait ses premières acquisitions alors qu'il était encore étudiant à l'université de la ville en 1890 ; à partir de 1925, il transforma sa collection en musée public et veilla à sa destinée jusqu'à sa mort en 1957. Il est bien évident que le goût personnel de leurs propriétaires imprègne de telles collections : c'est ainsi qu'en matière de tapis mamelouks et espagnols primitifs, celle du Textile Museum est une des meilleures au monde[13].

Oriental Carpets before 1800 de F.R. Martin est devenu, avec ses illustrations de grand format, une des références en la matière[14]. L'auteur élabore une histoire du tapis d'Orient en l'agrémentant d'une multitude d'exemples tirés des autres domaines de l'art islamique, posant ainsi les bases d'un cadre stylistique.

La présentation la plus riche et la plus complète jusqu'alors d'art islamique fut organisée à Munich en 1910 ; pour cette manifestation gigantesque, F. Sarre et F.R. Martin parvinrent à réunir près de 3600 pièces, dont quelque 230 tapis[15]. Le corpus des tapis anciens ne cessant d'augmenter, la division en groupes distincts constitua un pas en avant logique qui permit d'en approfondir la connaissance.

En 1938-1939, seuls des tapis safavides furent montrés lors de l'exposition « A Survey of Persian Art »[16]. Celle-ci reste à ce jour le plus important compendium de tapis classiques persans. A. U. Pope entreprit de classer la production par motifs et par schémas de composition. Les comparaisons de style fournirent des indices permettant une datation grâce aux quelques pièces dont on connaissait avec certitude la période de fabrication.

D'autres chercheurs rédigèrent des monographies à partir de cette base. On peut citer : à Sheffield, M.H. Beattie qui consacra aux tapis de type « vase » en 1976 une exposition[17] ; l'auteur du présent essai organisa, pour sa part, une exposition consacrée aux tapis dits « polonais », s'appuyant largement sur des récits de voyage[18]. Daniel Walker fut l'initiateur d'une magnifique exposition et d'un catalogue détaillé sur les tapis moghols[19]. Une bonne douzaine d'autres exemples viennent confirmer la mode des présentations par thèmes.

Kurt Erdmann entreprit en 1955 la dernière – à ce jour – exposition d'ensemble; avec pour titre: « Der orientalische Knüpfteppich. Versuch einer Darstellung seiner Geschichte »[20]. Les schémas de composition y étaient analysés avec précision et utilisés comme moyen de classification. Il en résulta un tableau probant dans une large mesure et dont la logique obéit à l'esprit d'un historien de l'art européen. C'est de ce point de vue que l'on pourrait reprocher certaines faiblesses à la théorie d'Erdmann. Elle est néanmoins aujourd'hui largement acceptée et sert de base à nos travaux. Les méthodes de datation mentionnées ci-dessus ont été de plus en plus affinées au cours de la dernière décennie par le recours au carbone 14[21]. Pour les textiles et les tapis antérieurs à 1640, les résultats sont très précis; en outre, cette technique est toujours vérifiée à l'aide des méthodes traditionnelles.

La classification par schéma de composition

Dans les tapis « Holbein à petits motifs », on trouve toujours une alternance d'octogones avec leurs contours ondulés typiques et de rhombes formant des étoiles (cat. 7 et 8). Une variante est dite à « grands motifs »: des rectangles alignés entourant chacun un grand octogone en occupent presque tout le champ (cat. 14 à 16).

Une troisième variante est très semblable aux deux premières, malgré une apparence différente de prime abord: les tapis dits « Lotto », appelés ainsi d'après les tableaux de Lorenzo Lotto. On a ici affaire à des rangées décalées de motifs rhombiques et octogonaux. Les octogones sont parfois difficiles à repérer. Ils forment un second octogone de fleurs pointées vers l'intérieur et de demi-fleurs bordant ses extrémités haute et basse. Toutes les parties sont reliées par des rinceaux exécutés en ivoire avec des contours noirs à l'instar des fleurs « aux yeux bleus ».
Les deux variantes de tapis « Holbein » tirent sans doute leurs origines de l'ornementation seldjoukide. L'évolution du dessin ottoman a été marquée par ce que Kurt Erdmann appelle le « bouleversement révolutionnaire » du motif[22]. Il se produisit vraisemblablement en Perse et, de là, exerça son influence sur toute l'aire ottomane. Il nous semble donc préférable d'observer l'évolution du tapis timouride et safavide avant d'aborder le domaine ottoman.

Les tapis timourides se divisent en deux groupes principaux que nous connaissons grâce aux miniatures persanes[23]. Tout d'abord, dans les rangées décalées d'un ou de deux motifs relativement petits, nous reconnaissons des similitudes avec les tapis ottomans de la première époque (tapis « Holbein » et « Lotto »). Ces alignements de motifs peuvent former un dessin fascinant du fait du jeu compliqué des rinceaux. Une autre variante consiste à diviser le champ en deux axes perpendiculaires créant des champs symétriques que nous retrouvons dans les miniatures avec des champs de teintes variées. Pour quelques rares exemples, entre autres la célèbre paire conservée à New York et Lyon[24], il est possible de hasarder une datation vers la fin de l'époque timouride (fin du XVe siècle). Par « bouleversement révolutionnaire », Erdmann entendait l'accent mis au début de l'ère safavide sur le centre du tapis orné d'un grand médaillon.

Généralement, un quart de motif, différent de celui du médaillon central, meuble uniformément les écoinçons. En théorie, si l'on déplaçait et réunissait ces derniers, ils pourraient former un motif central. On obtiendrait ainsi deux médaillons centraux très compliqués. Généralement, le motif central est bordé longitudinalement des deux côtés par un verrou transversal et par un pendentif en forme d'écu. La nouveauté essentielle de cette distribution est la stricte détermination du centre. On parle de « composition à médaillon » mais celui-ci ne constitue jamais l'unique ornementation. Le plus souvent, le motif central est posé sur des

fig.3
TAPIS
« À COMPARTIMENTS »
du nord-ouest de la Perse,
probablement Tabriz,
datant du XVIe siècle.
Musée des Tissus, Lyon.

arabesques ou des spirales symétriques. Toutefois, une autre distribution, formée par des rinceaux de couleurs différentes disposés symétriquement, est la plus répandue. Il faut maintenant considérer les schémas avec des rinceaux en spirales symétriques en se représentant les différents schémas comme des plans superposés. La composition en médaillon et le schéma de rinceaux en spirales ont à l'évidence des origines distinctes. Un des foyers des tapis à médaillon était le nord-ouest de la Perse avec sa capitale, Tabriz, essentiellement au cours de la première moitié du XVIe siècle. Les tapis à spirales de rinceaux se concentrent à la même époque en Perse orientale et à Herat, sa métropole. Mais on peut également les rencontrer au centre du pays autour d'Isfahan. Le décor devient encore plus varié, c'est-à-dire plus compliqué, quand on ajoute, au schéma à médaillon ou à celui à spirales, des animaux, des scènes d'animaux combattant ou des fleurs imaginaires proportionnellement très grandes, c'est-à-dire un plan, un décor supplémentaire. La distribution symétrique est en général conservée. On parle alors de tapis de chasse ou de tapis animaliers (par exemple le Poldo-Pezzoli daté de 1523.). À ces schémas principaux, il convient d'en ajouter un troisième, le décor continu. Il se caractérise par des losanges aux angles arrondis dessinant des lignes serpentiformes verticales qui, dans leur évolution symétrique, se touchent et s'écartent régulièrement. Ce décor continu ressemble à un treillis et se retrouve dans les tapis à décor de «vase» (Perse du Sud), un motif qui doit son nom à la présence fréquente – mais non systématique – d'un vase; celui-ci recouvre les points de contacts des lignes ondulées. Les schémas de composition ne sont cependant pas des indicateurs de provenance. Les caractéristiques techniques telles que matériau, manière de tisser la chaîne, la duite, ainsi que le type et la qualité des nœuds sont beaucoup plus utiles pour le déterminer. C'est grâce à ces particularités que l'on distingue les différents types de tapis à points noués safavides. La provenance du matériau ainsi que les récits de voyageurs de l'époque nous renseignent sur les centres de production, souvent des capitales régionales. L'attribution d'un groupe de tapis à un site géographique présente toutefois quelques difficultés, même quand motif et technique concordent.

La révolution du motif évoquée plus haut est le décor à médaillon central. Les miniatures nous apprennent que le milieu du tapis était souvent occupé par la personne la plus importante; le trône du souverain, par exemple, était placé sur ce médaillon.

Les créateurs de la haute époque ottomane recoururent également, à partir des débuts du XVIe siècle, à ce nouveau schéma (qualifié d'«Ouchak à médaillon»). Ce que l'on a appelé «Ouchak à étoile» peut être interprété comme un décalage dans l'alignement de «médaillons» identiques.

Parler des groupes particuliers tels que les tapis «jardins», «portugais», «polonais» et mamelouks dépasserait le cadre de cette étude[25].

Les tapis de prière occupent une place à part. Leur composition orientée avec une niche permettait au fidèle de se tourner vers La Mecque pour effectuer sa prière[26]. Composés de longues rangées de niches parallèles au mihrab, ils recouvraient le sol dans les mosquées; dessinant une seule niche – *sajjada* –, ils étaient utilisés pour la prière individuelle en dehors des mosquées, chez soi ou en voyage. Quelle que soit leur provenance, la façon dont les nœuds étaient exécutés et la manière de tisser étaient spécifiques à chaque localité.

Considérons pour terminer un indice pour déterminer la région d'origine: le coloris et, parfois, la combinaison de couleurs. Ce critère a été jusqu'à aujourd'hui trop souvent négligé et devrait, à l'avenir, être davantage pris en compte, notamment pour les kilims. Je suis toutefois parfaitement conscient de la difficulté de la mise en pratique d'une telle remarque[27].

1 Londres, Hayward Gallery, 1983 **2** Bode, 1892 **3** Balpinar-Hirsch, *Carpets* 1988; Balpinar-Hirsch, *Kelims*, 1982 **4** Lessing, *Teppichmuster*, 1877 **5** Bode, 1892 **6** Bode, 1902 **7** Bode-Kühnel, 1914 **8** Sarre, 1908 **9** Catalogue de vente, Paris, 1888, n° 3 et 4 **10** Catalogue, Lyon, 1902, p. 248 *sq.* **11** Stead, 1974, p. 32 **12** Catalogue, New York, 1910 **13** Kühnel-Bellinger, *Spanish Rugs,* 1953; Kühnel-Bellinger, *Cairene Rugs,* 1957 **14** Martin, 1908 **15** Sarre-Martin, 1910 **16** Survey, 1938-1939 **17** Beattie, 1976 **18** Spuhler, 1968 **19** Walker, 1997 **20** Erdmann, 1955; voir aussi l'exposition à l'Institut du monde arabe, «Tapis, présent de l'Orient à l'Occident», 1989 **21** Rageth (éd.), 1999 **22** Erdmann, 1955, p. 30 **23** Briggs I et Briggs II **24** Erdmann, 1955, ill. 58 **25** Spuhler, 1987, p. 77, 108, 76, 56 **26** Spuhler, catalogue 2003, p. 163 *sq.* **27** Spuhler, dans *Orient Stars,* 1993, p. 187.

PARIS-BERLIN-LISBONNE

QUELQUES TAPIS ET EXPOSITIONS DE TAPIS À LA FIN DU XIXe ET AU DÉBUT DU XXe SIÈCLE

Jens Kröger

La collection du Museum für Islamische Kunst a vu le jour à l'initiative de trois personnalités du monde muséal de Berlin : Wilhelm von Bode, directeur général des Musées berlinois, avait acheté dès 1872 des tapis tant pour sa collection personnelle que pour celle du Kunstgewerbemuseum. Julius Lessing, directeur de ce musée des Arts appliqués dès sa fondation en 1867, entreprit de rassembler une collection de tapis d'Orient digne de ce nom. Friedrich Sarre, directeur du département Islamique créé en 1904 par Wilhelm von Bode, offrit en dépôt longue durée sa riche collection personnelle d'art islamique incluant des tapis. Sur les dix-huit pièces de la collection berlinoise présentées dans le cadre de la présente exposition, seules quinze ont été acquises avant 1900, la plupart par Wilhelm von Bode (cat. 26, 30, 32, 41, 42) et par Julius Lessing (cat. 8, 46, 53)[1].

PARIS, CAPITALE DES ARTS ET DES COLLECTIONNEURS

Paris constituait le point de ralliement de ces trois figures des musées berlinois dans leur quête de tapis d'Orient ; au cours de la seconde moitié du XIXe siècle, la métropole française était, avec ses grandes Expositions universelles, un des principaux centres du marché international de l'art. En outre, y séjournaient nombre de riches collectionneurs avec lesquels les conservateurs entretenaient des relations fréquentes[2]. C'est cependant principalement en Italie, et non à Paris, que Bode acheta la plupart des tapis destinés aux musées berlinois. « Lors de ces premiers voyages en Italie, il m'arriva de trouver dans des églises et des ateliers d'artistes des

fig.1
TAPIS EN SOIE
Iran, milieu XVIe siècle, autrefois en possession de Friedrich Sarre et présenté en 1903 à l'« Exposition des Arts musulmans », New York, collection particulière.

tapis d'Orient dont la ressemblance avec ceux représentés sur certaines toiles me sauta aux yeux. J'en fis la remarque aux marchands et pus ainsi acquérir pour moi et pour le musée quelques bonnes pièces (et même de grands tapis pour 100 ou 150 lires) »[3]. « Comme ceux-ci (les tapis du Proche-Orient) traînaient réellement dans les rues en Italie à cette époque et se vendaient à des prix ridicules, j'ai pu en acheter pour des collectionneurs et des connaissances. [...] Peu après, l'intérêt pour les tapis anciens se généralisa, notamment en Amérique, ce qui multiplia les prix par 10, voire par 100 et fit que le stock des pièces disponibles s'épuisa rapidement. »[4]

En 1878 et en 1893, s'étaient déjà tenues à Paris de petites expositions où des marchands et des collectionneurs avaient montré l'art de l'Islam. Les tapis n'y avaient pas occupé une place importante.

La première grande manifestation sur ce thème fut organisée de mai à juin 1903 au pavillon de Marsan au Louvre grâce à l'intérêt à la fois des conservateurs, des collectionneurs et des marchands. Louis Metman, Gaston Migeon et Raymond Koechlin avaient opéré une sélection parmi les œuvres conservées à Paris. Ils demandèrent en outre au duc d'Arenberg, à Bruxelles, et à Friedrich Sarre, à Berlin, de consentir le prêt de certaines de leurs pièces. C'est dire la grande estime dont jouissait Sarre en France comme collectionneur d'art islamique[5]. Il prêta quelques métaux ainsi que deux tapis[6] (fig. 1).

Wilhelm von Bode parle de cet événement dans ses *Mémoires* (à propos de l'exposition de Bruges en 1902) : « Lui succéda l'année suivante une exposition d'un tout nouveau genre, l'exposition de l'Art musulman où l'on put voir, à vrai dire sans prétentions scientifiques particulières, toute une série de magnifiques travaux d'artisanat d'art appartenant à des collectionneurs parisiens, en particulier de magnifiques lampes en verre, des tapis persans et des miniatures. Elle était importante, surtout du fait qu'elle annonçait la grande exposition de Munich. Pour moi, en raison de ma prédilection pour l'art ancien de l'Asie, elle revêtait un intérêt tout particulier. Elle conforta également mon projet de créer chez nous un département uniquement dédié aux arts de l'Islam, de la Chine et du Japon »[7] (fig. 2).

fig.2
Vue de l'exposition du Museum für Islamische Kunst au Kaiser-Friedrich-Museum, Berlin vers 1911.

Friedrich Sarre consacra à l'exposition parisienne une longue conférence qui nous en livre les moindres détails : « L'exposition des œuvres d'art dans une salle à éclairage zénithal et trois grandes salles latérales peut être citée en exemple. On a accroché les tapis, si difficiles à mettre en valeur, sur des murs clairs, bien éclairés et en partie tapissés d'étoffes ; on a disposé dans des vitrines aux dimensions réduites les petites pièces de manière à pouvoir les observer séparément. Dans le vestibule, une collection de photographies de bâtiments remarquables servait d'introduction au monde oriental, plus loin un choix de phototypes et de planches en couleurs tirés de *Denkmäler Persischer Baukunst*, en cours de parution. »[8] Friedrich Sarre avait déjà montré ces prises de vues en 1899, lors de son exposition au Kunstgewerbemuseum à Berlin[9].

Lors de cette conférence sur l'exposition de Paris, ce dernier souligna le peu d'intérêt que l'on manifestait en Allemagne pour l'art de l'Islam : « Le célèbre orientaliste, Martin Hartmann, a signalé dans de longs articles parus dans la presse germanique l'importance de cette exposition et a incité à s'y rendre. Il est significatif du manque d'intérêt manifesté en Allemagne pour l'art islamique de constater que nos quotidiens et nos revues d'art ont presque totalement ignoré cette exposition, eux qui ne se privent pas de signaler l'événement le plus anodin de la vie artistique parisienne.»[10]

L'influence de la Ville lumière en matière de muséologie est également attestée par une lettre que Sarre écrivit à Bode en 1905 à propos de l'accrochage des tapis; il s'était rendu sur les rives de la Seine pour jeter un coup d'œil sur le commerce de l'art et pour y observer les nouvelles techniques muséographiques en vue de la présentation qu'il envisageait au Kaiser-Friedrich-Museum: «Je me rends tout d'abord pour quelques jours à Paris pour me faire une idée de ce qui s'y passe, vais ensuite à Londres et rentre en passant par Paris.»[11] Dans une autre lettre: « Au musée des Arts décoratifs, on a disposé les tapis de différentes manières; parfois, ils sont simplement cloués, parfois placés sous verre dans des cadres, parfois encore tendus sur des cadres rectangulaires. Cette dernière méthode me semble pratique; la forme irrégulière de la plupart est ainsi masquée. Certaines pièces ont été intégrées au revêtement des murs en tissu vert.»[12]

Lors de la grande exposition de Munich en 1910, «Meisterwerke Muhammedanischer Kuns t», dans laquelle Sarre a joué un rôle prépondérant, musées aussi bien que collectionneurs et marchands parisiens furent représentés par de nombreux prêts[13].

Après l'interruption due à la Première Guerre mondiale, de nouvelles relations s'établirent avec Paris dès les années vingt. L'événement le plus important pour les collections berlinoises fut sans conteste l'achat d'une tapisserie grand format de Holbein datant du XVIe siècle grâce à des fonds donnés par Jakob Goldschmidt en 1928 (fig. 3). Ce dernier était l'un des grands collectionneurs juifs appartenant au cercle des Amis des musées berlinois qui financèrent l'acquisition de plusieurs œuvres d'art[14]. Mais ce n'est qu'en 1968, qu'un autre tapis important put être acquis auprès d'Edmond de Rothschild[15].

De Berlin à Lisbonne : le tapis en soie possédé par Wilhelm von Bode et son acquisition par Calouste Gulbenkian

Avant que le célèbre collectionneur Calouste Gulbenkian ne transférât sa collection de Paris à Lisbonne, il n'y avait, en matière d'art islamique, aucun lien digne d'être mentionné entre Berlin et la capitale portugaise. Évoquons ici les voies tortueuses empruntées par un tapis safavide à motif animalier.

La première grande exposition de tapis eut lieu en 1891 à Vienne où Wilhelm von Bode put l'y exposer[16]. «Participer à la première grande exposition de tapis organisée par Monsieur de Scala [...] m'a fait grand plaisir. J'avais envoyé un certain nombre de mes tapis du Proche-Orient et pu ramener d'Italie un superbe tapis en soie à motif animalier que j'avais acheté à Milan (voir cat. 40). L'exposition était très confuse et mal agencée. D'infimes productions modernes étaient accrochées à côté de magnifiques tapis anciens dans un désordre qui rappelait celui des bazars turcs; toutefois, grâce au nombre de pièces de grande valeur et à l'excellent catalogue publié peu après, cette exposition a eu un effet des plus bénéfiques sur l'étude de l'art islamique.»[17]

fig.3
TAPIS HOLBEIN
Turquie orientale, XVIe siècle, Museum für Islamische Kunst, acheté en 1928 à Paris grâce à un financement de Jakob Goldschmidt.

fig. 4
Paris, résidence de l'avenue d'Iéna abritant la collection Calouste Gulbenkian, avant avril 1942. Vue de la bibliothèque avec des céramiques et des tissus ottomans et du tapis persan en soie dans la salle suivante.

Ce chef-d'œuvre, reproduit en 1892 dans le premier ouvrage de Bode sur les tapis, fut repris dans le livre qui suivait l'exposition, *Vorderasiatische Knüpfteppiche aus älterer Zeit* paru en 1901. Il fut traduit, dès 1911, en français sous le titre, *Anciens tapis d'Orient*[18]. En 1894, cette pièce splendide fut offerte par Bode au Kunstgewerbemuseum. Présent à la grande exposition munichoise d'art musulman de 1910 et reproduit dans le magnifique catalogue[19], ce tapis fut accroché après la Première Guerre mondiale sur les murs du château de Berlin où avait été transféré le Kunstgewerbemuseum en 1921.

Lorsque le Museum für Islamische Kunst ouvrit ses portes dans le nouveau Pergamonmuseum, le 17 décembre 1932, Ernst Kühnel avait obtenu du Kunstgewerbemuseum seize tapis en prêt de longue durée. Mais le tapis persan en soie, que le conservateur considérait comme l'une des pièces les plus précieuses et d'ailleurs unique en son genre en Allemagne, n'en faisait pas partie. En 1935, pour permettre l'achat du trésor des Guelfes par l'État prussien, on dut se séparer de quelques œuvres parmi lesquelles ce fameux tapis en soie[20]. En mars 1936, il fut acheté à Amsterdam par le marchand Hans Stiebel pour le compte de la collection Calouste Gulbenkian. Jusqu'en avril 1942, il se trouvait donc à Paris (fig. 4), pour être ensuite emmené au Portugal.

Lors d'un voyage en Espagne et au Portugal pour y donner des conférences, Ernst Kühnel, le directeur du département Islamique, visita les musées de Lisbonne et de Coïmbre. Il écrivit, le 26 mars 1941, une lettre très détaillée sur l'état, à cette époque, des collections de tapis dans ces deux villes: «J'ai donné avant-hier une conférence à Lisbonne et hier à l'université de Coïmbre et, comme j'ai un peu de temps avant le départ du train pour rentrer à Lisbonne, j'aimerais commencer tout de suite à vous dresser un tableau de mes expériences en matière de tapis qui, d'ailleurs, ne peuvent intéresser que vous... Je les résumerai en quelques mots: le Portugal est le pays des tapis d'Isfahan. Combien j'en ai vu au cours de ces quatre jours, je ne saurais le dire exactement, certainement plus de 50. Un grand nombre de tailles et de motifs très différents au musée de Lisbonne, une bonne douzaine au musée, ici à Coïmbre, et je dois aller en visiter deux plus petits dans l'église de l'abbaye Santa Cruz. Je crois que j'ai tout vu: on s'est en effet donné beaucoup de peine pour moi... Conclusion: grande profusion en tapis d'Isfahan, mais, à part ça, maigre butin.»[21]

À la demande de la fondation Calouste Gulbenkian, Kühnel vint en 1961 à Oeiras afin de choisir des œuvres dans la collection alors abritée dans le palais du marquis de Pombal en vue d'une exposition au musée national d'Art antique de Lisbonne en 1963. Il catalogua les verres et les céramiques ainsi que les tissus et les tapis. Cela a dû être, pour lui, un moment d'intense émotion que de revoir pour la première fois, après tant d'années, le tapis en soie de Wilhelm von Bode.

Les principaux tapis de la collection berlinoise ont été détruits en 1945 et on peut supposer que le tapis en soie aurait subi le même sort s'il s'était trouvé au musée.

En 1963, Kühnel le choisit comme illustration pour le catalogue de la première exposition de la collection Gulbenkian[22]. Depuis lors, il a été plusieurs fois reproduit, dernièrement dans le catalogue de l'exposition «Hunt for Paradise». En 2004, la boucle a été bouclée, lorsque ce tapis, acheté en 1891 à Milan, y retourna pour quelques mois à l'occasion de l'exposition «A caccia in Paradiso»[23].

1 À propos de la collection de tapis berlinoise, voir Spuhler, 1987 et Enderlein, 1995. **2** Bode, 1997, p. 210. Ce sont des conversations avec Mireille Jacotin du Musée national des Arts d'Afrique et d'Océanie qui m'ont amené à m'intéresser aux liens entre Paris et Berlin en matière d'art islamique. Je tiens en outre à remercier Maria Fernanda Passos Leite du Museu Calouste Gulbenkian de Lisbonne pour son aide précieuse. **3** Bode, 1997, p. 105. **4** Bode, 1997, p. 202. **5** Les liens qui unissaient Sarre et Gaston Migeon transparaissent également dans une courte oraison funèbre : «Il convient de se souvenir que c'est à Migeon que l'on doit l'organisation de la première exposition novatrice des Arts musulmans à Paris en 1903». Voir Sarre, 1930, p. 101. **6** Cat. exp., Paris, 1903, planche 79 (tapis à motif animalier, Iran, milieu du XVIe siècle, reproduit en ill. 1. A fait autrefois partie des collections Vincent Robinson et Thiem, ainsi que du Metropolitan Museum of Art, New York, voir M.S. Dimand, *Oriental Rugs in the Metropolitan Museum of Art*, New York, 1973, p.100-101, n° 11, fig. 75); cat. exp. Paris, 1903, planche 84, fragment d'un tapis indien, XVIe-XVIIe siècle; appartient aujourd'hui au Textile Museum, Washington, voir Daniel Walker, *Flowers Underfoot. Indian Carpets of the Mughal Era*, New York, 1997, p. 45, fig. 36, n° 5. Au sujet de l'exposition de Paris dans le contexte des expositions d'art islamique, voir Roxburgh, 2000, p. 20-21. **7** Bode, 1997, S. 299. **8** Sarre, 1903, p. 521. Sarre, 1910. **9** Sarre, 1899. Borrmann, 1898-1899, p. 307-308. **10** Sarre, 1903, p. 522. **11** Lettre de Sarre à Bode, Berlin, 11 juillet 1905. **12** Lettre de Sarre à Bode, Paris, 5 août 1905, comme le 2 du même mois. **13** Cat. exp. Munich, 1910. Mention des propriétaires et liste des membres du comité. **14** Kühnel, 1930. **15** Spuhler, 1970 et Spuhler, 1987, n° 85. **16** Cat. exp. Vienne, 1891. Supplément au catalogue p. 303-304, n° 500. **17** Bode, 1997, p. 252. **18** Bode, 1892, p. 31-37, ill. 3. Bode, 1901, p. 20, ill. 8. Bode, 1911. Les éditions ultérieures, revues et complétées avec Ernst Kühnel, n'ont pas été traduites en français. **19** Sarre – Martin, 1912, vol. I, n° 2, planche 44. **20** Cela se fit sans avoir consulté Ernst Kühnel, alors directeur du département Islamique. Lorsque celui-ci l'apprit, il exprima son indignation au directeur général des Musées nationaux de Berlin. L'autorisation d'exportation fut délivrée le 2 février 1936 (d'après des documents joints aux actes de vente figurant aux archives centrales des Staatliche Museen zu Berlin). **21** Lettre de Kühnel à Erdmann, Coïmbre, 26 mars 1941. **22** Cat. exp., Lisbonne, 1963, n° 70. **23** Cat. exp., New York, 2003, p. 292-293, n° 12.17 (Jon Thompson). Il avait déjà figuré dans l'exposition «Only the Best», voir cat. exp. New York, 1999-2000, p. 79, n° 36 (Maria Fernanda Passos Leite).

fig. 1
Calouste Sarkis Gulbenkian
à l'âge de 30 ans.

fig. 2
Avenue d'Iéna, le salon Boucher.

Calouste Gulbenkian le collectionneur

Maria Fernanda Passos Leite

Calouste Sarkis Gulbenkian (fig. 1) est né le 23 mars 1869 à Scutari (l'actuel Üsküdar, arrondissement oriental d'Istanbul) dans une riche famille de négociants d'origine arménienne. Il poursuit ses études à l'étranger, à Marseille puis à Londres, où il obtient en 1887 un diplôme d'ingénieur au King's College.

Il se lance très tôt dans les affaires, dans l'industrie pétrolière, associant à sa réussite professionnelle un extraordinaire sens esthétique et une connaissance approfondie de l'histoire de l'art qui lui permettront de réunir une collection éclectique composée d'environ 6 000 œuvres d'art, appartenant aujourd'hui au musée qui porte son nom.

C'est à Londres et à Paris, où il passera une grande partie de sa vie, qu'il fait la plupart de ses acquisitions. Il commence sa collection dès la fin du XIXe siècle, mais l'ensemble le plus important date de la période 1910-1940. Dans les années 1920, il achète la maison de l'avenue d'Iéna à Paris, où il installe en 1927 ses œuvres d'art et sa résidence (fig. 2). Son activité de collectionneur se poursuivra même après son départ pour Lisbonne en avril 1942.

Le devenir de ses œuvres d'art (« ses enfants ») fut pour Gulbenkian une préoccupation constante. Cependant les longs pourparlers avec la direction de la National Gallery de Londres, puis avec la National Gallery of Art de Washington, n'aboutiront à aucun résultat positif pour un certain nombre de raisons pratiques.

Au cours de la Deuxième Guerre mondiale, en avril 1942, Gulbenkian se réfugie à Lisbonne où il passera les treize dernières années de sa vie. En 1953, il prévoit dans son testament la création de la Fondation Calouste Gulbenkian[1]. Voici ce qu'il écrit la même année à John Walker: « [...] Je suis parfaitement conscient qu'il est grand temps que je prenne une décision concernant le devenir de mes collections. Vous savez que j'y suis profondément attaché, de fait je les considère, sans exagérer le moins du monde, comme "mes enfants" et leur avenir est l'un de mes soucis majeurs. Elles représentent cinquante ou soixante années de ma vie, je les ai rassemblées, parfois au prix d'énormes difficultés, en me laissant guider, toujours et exclusivement, par mes propres goûts et mon jugement. Bien sûr, comme tous les collectionneurs, j'ai demandé conseil, mais j'ai le sentiment qu'elles font partie de moi, du plus profond de mon être! [...] »[2].

Le soin d'installer « ses enfants » « sous un même toit » revint donc au conseil d'administration de la Fondation, qui fit construire le musée Calouste Gulbenkian dans lequel toutes ses œuvres d'art furent finalement rassemblées. Le musée ouvrit ses portes au public le 2 octobre 1969.

Gulbenkian était un collectionneur extrêmement exigeant. C'était un connaisseur qui se fiait à ses goûts, mais en veillant toujours à la qualité, à l'authenticité et au bon état de conservation des pièces qu'il envisageait d'acquérir. En règle générale, il faisait ses acquisitions avec prudence et discrétion, comptant parmi ses fournisseurs des noms célèbres sur le marché de l'art tels Colnaghi, Knoedler, Agnew, Wildenstein, Stiebel, Duveen...

Comme il le dit lui-même, il demanda souvent conseil auprès d'universitaires et de directeurs de musées, parmi lesquels il avait un certain nombre d'amis. Il contribua également à plusieurs reprises à enrichir des collections publiques, par exemple en aidant le Louvre à faire l'acquisition de céramiques islamiques ou lorsqu'il fit une importante donation (comprenant de l'art musulman) au Museu Nacional de Arte Antiga alors qu'il se trouvait déjà à Lisbonne. De son vivant, il prêta des pièces de ses collections à de grands musées, comme la National Gallery de Londres et de Washington ou encore le British Museum.

La connaissance qu'avait Gulbenkian de l'art islamique, notamment en ce qui concerne la collection de tapis, est attestée par le témoignage de l'un de ses amis et admirateurs, le professeur Arthur Upham Pope. Dans une lettre datée du 18 septembre 1933, Pope écrit au collectionneur : « [...] Je respecte votre avis sur les tapis plus que celui de tout autre collectionneur que je connaisse. Vous êtes perspicace, factuel et vous allez droit au but [...] ». Et dans une autre lettre, adressée cette fois-ci au directeur du musée des Arts appliqués de Vienne : « [...] je vous écris pour vous présenter un très bon ami à moi, M. Calouste Sarkis Gulbenkian, de Paris, qui est un connaisseur de tapis enthousiaste et éclairé [...] ».

L'opinion du professeur Pope n'a pas de quoi nous étonner quand on sait que le jeune Calouste Gulbenkian consacra, alors qu'il n'avait que vingt-deux ans, un chapitre entier aux tapis d'Orient dans un livre intitulé *La Transcaucasie et la péninsule d'Apchéron*, écrit à partir des notes prises au cours d'un voyage d'affaires dans la région. Le chapitre commence par des remarques préliminaires sur les tapis caucasiens, encore trop méconnus à l'époque :

« L'importance de la fabrication des tapis dans le Caucase est telle, que nous croyons devoir consacrer à cette industrie une étude spéciale ; les quelques renseignements réunis ici sont le fruit d'observations nombreuses ; d'ailleurs le sujet nous semble encore assez ignoré du public d'Occident ; on voudra donc bien nous pardonner cette courte, mais à notre avis, indispensable digression. »[3]

Tout au long du chapitre, Gulbenkian donne des informations générales sur le tissage des tapis orientaux, faisant çà et là référence à des pièces en sa possession. Ainsi écrit-il plus loin : « Les tapis d'Orient, dont la célébrité s'accroît de jour en jour, et qui font aux tapis des manufactures occidentales la plus heureuse concurrence, représentent bien les inspirations du génie oriental par la bizarrerie des dessins et l'originale combinaison des nuances [...]. Dans leur pays d'origine, ils sont d'un usage quotidien [...] c'est dans un ou plusieurs tapis que l'on enveloppe le trousseau de la mariée [...] c'est un tapis que l'on jette sur les morts [...] c'est enfin sur un tapis que, soir et matin, le fidèle prie son Dieu [...]. Au cours de mes excursions en Asie Mineure ou dans le Moughan, j'ai fait de nombreuses recherches sur l'origine des dessins employés, sans entrer ici dans les détails de mes investigations, je crois pouvoir affirmer que cette origine est religieuse. »[4]

Étant donné ses origines orientales et ses traditions familiales, on comprend que, de toutes les œuvres d'art qu'il a réunies au long de sa vie, les tapis comptent parmi les pièces auxquelles il tenait le plus. En plus des chefs-d'œuvre de la période classique fabriqués dans la Perse safavide et l'Inde moghole (cat. 40, 36, et 52) et (fig. 3), il est parvenu à rassembler un groupe considérable de tapis caucasiens, dont certains des plus anciens (voir texte R. Gilles) sont devenus avec des pièces d'ameublement très intéressantes du XIXe siècle (cat. 22) un élément essentiel de la décoration de sa résidence parisienne avenue d'Iéna. Toujours soucieux de préserver ses œuvres d'art, il veillait à ce que les tapis et les tissus, en particulier, bénéficient des meilleures conditions de conservation. C'est ainsi qu'il avait fait installer dans les

fig. 3
TAPIS À MÉDAILLON,
Inde moghole, Lahore,
v. 1610-30,
Museu Calouste Gulbenkian
inv. T. 62.

sous-sols de son hôtel particulier une chambre froide de grandes dimensions pour conserver ces pièces. Une quarantaine de tapis y était stockée, alternant avec ceux exposés dans les salons.

D'après les documents conservés, le premier tapis dont Calouste Gulbenkian fit l'acquisition était un petit tapis de prière Ghiordès en provenance d'Asie Mineure, acheté à Paris dans une vente chez Rikoff en décembre 1907 ; et le dernier, la célèbre couverture de tombeau en soie (fig. 4), probablement fabriquée à Tabriz au XVIe siècle, qu'il acheta à Téhéran en 1939 avec l'aide de son fidèle ami le professeur Pope. Nombre de ses pièces d'ameublement, ainsi que la majorité des plus beaux tapis de la période classique, furent achetés dans la deuxième décennie du XXe siècle, lorsqu'il était en train d'aménager sa résidence avenue d'Iéna afin d'y installer sa collection. Il poursuivra cependant ses acquisitions de tapis jusqu'à la fin des années 1930.

La collection de tapis d'Orient tient naturellement une place importante dans la salle d'exposition d'art islamique du musée Calouste Gulbenkian (fig. 5), qui présente une sélection de pièces rares fabriquées dans la Perse safavide, l'Inde moghole et le Caucase. Les salles du musée sont organisées par ordre chronologique et géographique suivant deux circuits distincts : l'art oriental et l'art européen.

fig. 4
TAPIS,
Perse safavide, Tabriz (?),
XVIe siècle, Museu Calouste Gulbenkian, inv. T. 113.

fig. 5
LA SALLE D'ART ISLAMIQUE,
Museu Calouste Gulbenkian,
Lisbonne.

Les salles d'art oriental débutent par la collection d'art égyptien, suivie d'un petit ensemble d'antiquités classiques (grecques et romaines) dont une remarquable collection de monnaies grecques. Un bas-relief assyrien en albâtre introduit à la magnifique salle d'art islamique, où sont exposées des œuvres du XIIe au XVIIIe siècle provenant de la Perse, de Turquie, de Syrie, du Caucase et d'Inde. Quelques pièces arméniennes majeures sont présentées ici, aux côtés des céramiques, tapis, livres, miniatures, carreaux de revêtement, reliures, verrerie et textiles du Proche et du Moyen-Orient. La section d'art oriental du musée s'achève par une présentation d'œuvres d'art chinoises, où les porcelaines et pierres dures rivalisent avec les laques japonais.

Dans la section d'art européen, d'importantes collections de peinture des maîtres allemands, flamands, français, hollandais, anglais et italiens, du XVe au XIXe siècle, côtoient des sculptures françaises du Moyen Âge jusqu'au XIXe siècle. Quelques manuscrits et ivoires médiévaux d'une grande rareté viennent compléter les premières salles d'art européen. Des tapisseries, des textiles et des livres tout aussi rares de la Renaissance au XVIIIe siècle introduisent ensuite à la section consacrée aux arts décoratifs, où sont exposés des objets français (dont un grand nombre de provenance royale), notamment du mobilier et de l'argenterie.

La dernière salle du musée réunit une collection unique de bijoux, de verrerie et d'objets de René Lalique, qui était un grand ami du collectionneur.

Devant un tel ensemble, aussi éclectique qu'exceptionnel, on comprend mieux Calouste Gulbenkian lorsqu'il écrit : « Je ne suis pas, par tempérament, un collectionneur scientifique par périodes ou par séries, mais tout comme pour mes tableaux, j'aime posséder les plus beaux exemplaires [...] Je n'ai pas beaucoup de pièces, mais je veux qu'elles soient de la plus haute qualité[5] ».

Il s'agit bien en définitive de ses « enfants », qui révèlent l'immense richesse de la personnalité d'un homme extraordinaire.

1 La Fondation Calouste Gulbenkian fut créée en 1956, un an après la mort du collectionneur, avec pour but le financement d'actions de bienfaisance, de projets éducatifs et artistiques, et d'activités de recherche. **2** Extrait d'une lettre de Calouste Gulbenkian adressée à John Walker le 10 février 1953. **3** Calouste S. Gulbenkian, *La Transcaucasie et la péninsule d'Apchéron, souvenirs de voyage*, Paris, 1891, chapitre VII, p. 161. **4** *Ibidem*, p. 183. **5** Extrait d'une lettre de 1943, adressée à George Davey de chez M. Knoedler & Co.

« Les Orientaux, les Persans et les autres, ont avant tout imprimé un dictionnaire complet de cette langue de l'œil qui écoute ; ils ont doté leur tapis d'une merveilleuse éloquence. Ô peintres qui demandez une technique de la couleur, étudiez les tapis, vous trouverez là tout ce qui est science, mais, qui sait, le livre est peut-être cacheté, vous ne pouvez le lire. Puis le souvenir de mauvaises traditions vous obstrue. »

Paul Gauguin[1]

« La grande pensée » : Tapis d'Orient et XXe siècle

Pierre Schneider

1. Le réveil

Si justifié, si éloquent qu'ait été l'appel lancé aux peintres, ses contemporains, Gauguin doutait manifestement qu'il serait entendu, encore moins écouté[2]. En ces temps-là, un tableau qualifié de «décoratif», méritait, au mieux, un coup d'œil condescendant. Quel profit un artiste véritable pouvait-il espérer de la fréquentation de simples artisans, comme l'étaient les auteurs des tapis, « Perses et autres » ? Il fut pourtant considérable, voire décisif, pour les « modernes », qu'on aurait pu croire peu concernés par une production dont les techniques et les thèmes n'avaient guère évolué depuis des siècles.

Rien de plus logique, pourtant, que leur rencontre. La modernité en peinture repose, au XXe siècle, sur un dictat énoncé en tant de variantes, depuis sa formulation inaugurale par Maurice Denis[3], qu'on a quelque peine, aujourd'hui, à imaginer ce qu'entre 1900 et 1950 il avait de stupéfiant. Un exemple, entre mille : en 1943, Mark Rothko et Adolf Gottlieb, probablement aidés par Barnett Newman, adressent une lettre-manifeste au *New York Times* : « Nous voulons réaffirmer l'importance du plan pictural. Nous sommes pour les formes plates parce qu'elles détruisent l'illusion et révèlent la vérité. »[4]

L'image doit adhérer au plan pictural ou, si l'on préfère, figures et fond doivent occuper le même plan. Or l'exigence du plan unique est un principe non moins fondamental de l'esthétique islamique. Fresques, céramiques murales, manuscrits enluminés, tous les genres s'y conforment, mais aucun de façon aussi exemplaire que le tapis. « Cet immense tapis d'Orient »[5] va résumer, aux yeux du monde occidental, l'esthétique d'une civilisation qui s'étendait de l'Andalousie à l'Afghanistan, de l'Égypte à la Turquie.

Sa reconnaissance par l'Occident est lente. Trop de « mauvaises traditions », comme le remarquait Gauguin, « obstruent »[6] les peintres de la vieille Europe, où la perspective habile en l'art de feindre la profondeur règne encore. Elle avait banni, ou du moins déclassé, la décoration, qui s'en tenait au traitement des seules surfaces, provoquant entre l'art d'Occident et celui d'Orient un schisme qui est comme la réplique esthétique de celui qui, au même moment, scinda l'Église d'Orient et l'Église d'Occident. Dans la peinture qui triomphe à Florence, à Venise ou à Amsterdam, les tapis abondent, mais réduits à l'état de trophées, de serviteurs. On les plie au fil des marches qui mènent au pied du trône de la Vierge, on les plisse sur l'autel et sous le retable, on les tord sur le buffet où s'entassent les natures mortes. Ils sont discrets, mais cette discrétion les sauve.

Au XIXe siècle, quelques peintres les remarquent. Le regard qu'ils portent sur eux amorce leur réhabilitation (Delacroix va jusqu'à affirmer : « Les plus beaux tableaux que j'aie vus sont certains tapis de Perse »[7]), mais ils ne recouvreront que peu à peu leur entière liberté, laquelle se reconnaît au fait que, une fois déployés, leur portée excède leurs limites matérielles. La fréquence croissante de leurs apparitions dans les tableaux des Orientalistes répond à des préoccupations ambiguës. Ils y sont exhibés plutôt qu'exposés. Pour que l'Orientalisme s'efface devant ce qu'on pourrait appeler l'orientalité[8], il faudra que le lent mais irrésistible assèchement de la profondeur simulée dans la peinture française à partir de Courbet devienne suffisamment prononcé pour que les peintres eux-mêmes le détectent.

La critique, que l'hostilité rend pénétrante, les aide. L'aplatissement que les progrès de l'espace monoplan font subir aux figures de Courbet et de Manet incitent nombre de critiques et de caricaturistes de l'époque à les comparer à des cartes à jouer[9]. S'approprier, par une sorte de défi, l'insulte ou la raillerie afin de s'en faire un cri de ralliement – comme cela se produisit pour l'impressionnisme, le fauvisme ou le cubisme – peut à la rigueur se comprendre, mais « tapeurs de carton » aurait tout au plus valu aux explorateurs du plan pictural la sympathie de quelques arrière-salles de cafés. Pour oser remettre en question l'essence même de l'esthétique imposée à l'Occident par la Renaissance, à quel allié, quelle autorité plus respectable pouvait-on se référer que l'esthétique décorative, dont le tapis était le représentant par excellence ? « L'Orient nous a sauvés », dira Henri Matisse[10], qui le premier relèvera le défi.

II. HENRI MATISSE

Lorsque Matisse déclare qu'« il n'est pas péjoratif de dire que les peintures d'un artiste sont décoratives »[11], il laisse entendre qu'aux yeux de la plupart des gens, elles ne le sont que trop. En revanche, quand en 1908 il envoie au Salon d'Automne un tableau de toute évidence majeur à ses yeux, qu'il intitule *Harmonie rouge. La desserte*, et qu'à ce titre il ajoute la formule *Panneau décoratif*, cela ressemble à une provocation. L'œuvre affiche son statut de « peinture de surface »[12], comme dit son auteur, avec une confiance non exempte d'agressivité. Et certes, il en fallait pour oser aplanir l'angle droit engendré par la rencontre du mur et de la nappe, tout en s'interdisant de supprimer le trait horizontal qui le dénonce et les lignes obliques qui avouent l'appartenance de la table et de la chaise à l'espace tridimensionnel. Que le peintre y soit parvenu démontre de façon éclatante la victoire de la couleur – qui, à condition d'être rendue à sa pureté, épouse le fond – sur le réseau des lignes perspectives, ainsi que la capacité d'un *pattern* de surmonter les changements de cap brutaux auxquels les bords d'une table le contraignent. De la *Serveuse bretonne*, puis de *La Desserte* (1896) à *Harmonie rouge* qui en est le *remake*, une mutation a eu lieu : au mode tactile s'est substitué – surimposé de force, plutôt – le mode textile. L'arabesque noueuse empruntée à une étoffe dite à tort « toile de Jouy » ne saurait masquer la cause réelle d'une révolution que Matisse, plus tard, n'hésitera pas à reconnaître : « La révélation m'est donc venue de l'Orient. »[13]

De fait, nul artiste n'aura autant pris à cœur l'exhortation de Gauguin : « étudiez les tapis ». Depuis ses débuts, il en achète, quand il en a les moyens, des morceaux, s'en imprègne chez les antiquaires et les collectionneurs, visite les musées et les expositions où – la chose est récente – ils sont exposés (en particulier, au musée des Arts décoratifs, au Louvre, à l'Exposition universelle de 1900)[14]. Plus encore qu'*Harmonie rouge*, dont l'éclat exalté éclipse en partie le changement de régime qui s'y joue, une longue série de natures mortes illustre la lutte qui oppose les deux esthétiques[15]. De toile en toile, elle met aux prises un tapis (ou quelque autre tissage), et une statue (ou, à défaut, un autre objet pesant) qui jouent le rôle de représentants des deux grands courants artistiques qui s'affrontent depuis la Renaissance : la peinture occidentale qui se rêve sculpture et la peinture d'Orient qui se sait tapis.

Au fil des années, le champion du textile, le tapis, prend le dessus sur le champion du tactile, la sculpture. Roulé, replié, refermé sur lui-même dans les tableaux de Bellini, de Lotto ou de Holbein, il n'était plus, dès lors, qu'un objet parmi les objets épars dans l'espace perspectif. Matisse lui fait entreprendre le même périple en sens inverse. Au fil du temps et des tableaux, il le déroule à nouveau, l'aplanit progressivement jusqu'à ce qu'il coïncide derechef avec le plan pictural où, grâce aux propriétés de la couleur enfin délivrée des contraintes du modelé et des ombres, il recouvre son don d'expansion et se joue à nouveau de ses frontières matérielles. Ce n'est point un hasard si Matisse brosse successivement, en 1911, dans le voisinage de l'Alcazar et de l'Alhambra, deux tableaux représentant un intérieur aux meubles recouverts d'étoffes diverses. Vus ensemble, ils illustrent le moment où le mode textile prend enfin sa revanche sur le mode tactile : *Nature morte, Séville I* est un tableau dépeignant des tissus ; *Nature morte, Séville II,* un tableau peint *comme* un tissage.

L'assimilation de « la grande leçon » évoquée par Gauguin[16] atteint, dans le second tableau, un stade plus avancé, plus intériorisé que dans le premier. Aussi la dette de Matisse envers le tapis d'Orient se laisse-t-elle plus aisément déceler dans *Nature morte, Séville I* que dans *Nature morte, Séville II* : citer un livre ne veut pas dire qu'on l'ait lu. Néanmoins, cette constatation n'implique pas qu'il faille renoncer à fournir des preuves de l'influence décisive exercée par le tapis – « persan ou autre » – sur Matisse. Elle nous somme simplement de la rechercher au niveau de pénétration où Matisse la subit.

On aurait tort, en effet, de croire que « la peinture de surface » ou, si l'on préfère, la décoration, réclame ou implique la superficialité, l'insignifiance. La grande décoration échappe à ces défauts qui la cantonneraient dans la fabrication des « vains ornements » qui pèseraient à Matisse autant qu'à la Phèdre de Racine : elle parle. Gauguin l'avait compris : les Orientaux « ont doté leur tapis d'une merveilleuse éloquence », il est « un livre » où l'artiste déchiffrera « la grande pensée en lettres d'or écrite dans tout leur art. »[17] Qu'on ne s'imagine pas que Gauguin se livre ici à un exercice rhétorique : ses observations sont à prendre à la lettre. En traitant le tapis comme un miroir tourné vers le ciel, l'artiste y attire, y piège la vision du Paradis coranique. La « technique de la couleur », la « science » de l'arabesque, la réitération plus ou moins à l'identique des motifs, la réduction des figures au fond plane du tapis attirent Matisse parce qu'ils lui permettent d'« imprimer » du sens – et même du sens sacré – dans une œuvre épousant l'espace ordinaire de la vie. « La première qualité d'une œuvre est d'être décorative », déclare-t-il, pour ajouter aussitôt : « Elle est décorative si elle sait prendre place dans l'esprit, dans le cerveau d'un homme. »[18]

Ainsi le tapis d'Orient apporte à Matisse l'assurance que, face à la « mauvaise tradition » figurative d'Occident – la sienne –, fondée sur la perspective, existe un art autre, de la décoration entendue comme « langue de l'œil »[19] qui s'adresse à l'esprit. Constatation d'autant plus excitante que la vision paradisiaque que lui donne à « lire » le tapis est, en quelque sorte, l'équivalent islamique du mythe gréco-latin de l'Âge d'or formulé par Hésiode et ressuscité par Nietzsche dans *Ainsi parlait Zarathoustra* qu'illustre le tableau qui va fournir au peintre le programme de tout son œuvre à venir : *Le Bonheur de vivre.*

Le Bonheur de vivre n'obéit pas au premier commandement de la décoration : soumission absolue de l'image au plan pictural, dont l'homogénéité doit être scrupuleusement respectée[20]. L'éparpillement des figures s'explique par le fait qu'à cette époque Matisse s'inspirait, pour ses compositions, du « modèle » paléochrétien – byzantin, lequel confronte une figure ou un petit groupe de figures isolés et finis à un fond vide, infini, rapport qu'en l'occurrence l'artiste ne pouvait obtenir qu'en morcelant l'espace du tableau. En fait, il lui faudra plus de cinq ans – de 1905 à 1911 – jalonnés par les natures mortes dont il a été question plus haut, pour se résoudre à changer de « modèle » et se convertir pleinement à la décoration.

À peine franchi le pas que constituent les deux toiles andalouses, surgit une difficulté qui remet en cause l'entreprise. L'*Intérieur aux aubergines*, où se déploie dans sa splendeur de « peinture de surface » le nouveau style décoratif de Matisse, appartient au genre de la nature morte. *La Famille du peintre*, au contraire, montre les enfants et l'épouse du peintre sur un fond au sein duquel un tapis afghan reconnaît hardiment sa dette envers les tissages orientaux. Ceux-ci ne peuvent, néanmoins, empêcher les figures de se détacher à angle droit de l'arrière-plan, provoquant entre elles et leur entourage une tension presque douloureuse pour le regard du spectateur. L'interdiction de représenter la figure humaine pesant sur l'art musulman évite au tapis d'avoir à affronter ce problème, qui ne se pose que pour l'image de l'homme, seule créature verticale parmi les créatures horizontales (« rampantes », écrit Ovide) créées par Dieu[21]. En revanche il se pose de façon aiguë à Matisse, qui, dans son texte-manifeste de 1908, *Notes d'un peintre sur sa peinture*, écrivait : « Ce qui m'intéresse le plus, ce n'est ni le paysage, ni la nature morte, c'est la figure. »[22]

Contrairement au reste de la création, l'homme se refuse à se coucher à l'horizontale, à moins d'être mort. Cette constatation oblige Matisse à renoncer à l'introduire dans le tapis, autrement dit : au paradis[23]. Se doute-t-il qu'au moment où il croit devoir abandonner à jamais son rêve d'une décoration totale, son propre travail lui propose déjà la solution ? Une suite de quatre sculptures, ou plus exactement, quatre états d'un même bas-relief, *Nu de dos*, se donnent à lire comme la métamorphose d'une femme en arbre. Elle est l'illustration monumentale du mythe de Daphné transformée en laurier pour échapper à Apollon. Matisse prend ce mythe non moins au sérieux que celui de l'Âge d'or, version hellénique de l'Éden. Il le traite souvent explicitement et, plus souvent encore, inconsciemment, tant est profonde sa conviction qu'en tout être humain se terre une plante. Saint Thomas d'Aquin expliquait cette curieuse parenté par une sorte de syllogisme : l'arbre est un vertical et les animaux sont des horizontaux (des « rampants », disait Ovide) ; étant plus proche des animaux que des plantes, l'homme aurait dû être un horizontal, lui aussi, mais il est vertical. La raison doit en être que l'arbre est le maillon manquant qui complète la grande chaîne des êtres. Un artiste persuadé de l'étroite parenté du végétal et de l'humain pourra donc réintroduire ce dernier dans la ronde de la Création et, par conséquent, l'intégrer dans la grande décoration.

Il faudra à Matisse plus de trente années avant de l'oser. Ce sera chose faite avec la Chapelle de Vence, dont le décor proclame l'équivalence du végétal et de l'humain, ouvrant ainsi la voie à leur fusion en une seule et même œuvre. En effet, la plupart des grandes gouaches découpées célèbrent l'admission de l'être humain au paradis des peintres, c'est-à-dire au tapis. Aussi est-ce dans ces grandes décorations en papier ou en céramique que Matisse peut enfin faire pleinement appel à la riche gamme des leçons tirées d'une vie d'étude et de fréquentation de l'immense tapis d'Orient »[24].

Souvenons-nous que, des deux antagonistes (le plan réel et la profondeur fictive) qui se disputent l'art de Matisse depuis 1905, aucun n'a jamais réussi – mais le peintre le désirait-il vraiment ? – à éliminer définitivement l'autre. « J'ai toujours voulu faire deux choses en même temps », a-t-il dit. Et comment y parvenir, si ce n'est en les entretissant ? La technique du tissage servira de garant métaphorique aux procédés utilisés par Matisse pour réaliser une image à laquelle les mythes de la Genèse et du Paradis, la Création par un Dieu d'un monde dont tous les éléments Lui sont également soumis, confèreront signifiance et éloquence.

Le statut de métaphore ne propose pas seulement à son bénéficiaire la commodité d'une référence : il l'oblige à refléter, comme font les tapis, grâce à une traduction créatrice qui constituera la preuve de l'intensité du lien qui les lie, son fonctionnement à elle. Et en vérité, est-il moyen plus assidûment employé par le peintre serviteur de deux maîtres que la perpétuelle oscillation, les incessants aller-retour, bref, la navette entre « constat » réaliste et « chant transfiguré », entre profondeur perspective et surface décorative, navette qui dit assez clairement de quel *métier* elle s'inspire.

Dans les plus vertigineux de ces tapis – certains mamelouks, par exemple, mais aussi dans certaines céramiques murales d'Andalousie et du Maroc – Matisse a pu voir la couleur dessiner des frontières qui pourtant ne la limitent pas. Tel groupe de quatre étoiles ou de lions affrontés s'assemblent en un médaillon qui se détache du fond jusqu'à ce que celui-ci soit à son tour perçu comme une figure, et c'est alors le quatuor de lions ou d'étoiles qui se donne à voir comme fond. Matisse ne procède pas autrement dans *La Vague*, où le bleu et le blanc, sont bien appréhendés comme figure et comme fond, mais ne cessent d'intervertir leurs rôles.

Dans *Vénus*, un corps blanc se détache nettement sur un fond bleu, lui-même collé sur un rectangle blanc plus grand, de sorte que ce dernier fait office non seulement de bordure, mais de fond presque invisible derrière la figure, laquelle s'en séparerait, n'était que l'ablation de la tête, des bras et d'une partie des jambes nous induit à reconnaître en elle une statue antique mutilée plutôt qu'un corps vivant, à l'exception des zones où la proximité de la bordure efface l'image de la sculpture et transforme le marbre brisé en chenaux largement ouverts par où le fond infini se déverse, jusqu'à ce que notre regard, entraîné par la marée blanche, s'éloigne suffisamment des bords d'où elle afflue pour la perdre de vue, laissant la statue de la déesse anadyomène, émerger à nouveau.

Distinguer sans les séparer deux entités également indispensables et inconciliables – les figures et le fond – telle est la grande leçon du tapis d'Orient que Matisse garde à l'esprit quand, dans *La Piscine*, testament spirituel et décoration pure, il transforme *Le Bonheur de vivre* en une ronde sans fin à laquelle participent, unanimes, tous les règnes et tous les éléments. Leçon technique, certes, mais également message existentiel, puisqu'elle permet au geste du tissage d'exhiber la blessure du dualisme et, le temps et l'espace d'un tapis, de la guérir.

fig.1
TAPIS MAMELOUK
réalisé au Caire au début du XVIe siècle.
Musée Jacquemart-André, Paris.

III. PIET MONDRIAN

« La grande leçon » incarnée par le tapis répond si manifestement au souci de rabattre l'image sur le plan pictural qui obsédait nombre d'artistes modernes qu'on ne saurait s'étonner de la savoir écoutée par des peintres que rien, en apparence, ne prédisposait à l'entendre. Se remémorant, longtemps après, des débuts qui furent ceux d'un honnête peintre de paysages et de natures mortes hollandais tôt gagné par le symbolisme, Mondrian écrit : « Dans mes tableaux de jeunesse, l'espace était encore un arrière-plan. (...) Elles [les figures] avaient toujours l'air d'être des formes se détachant sur un arrière-plan. »[25]

Ce refus d'adhérer au plan pictural, cette *« non-équivalence »* – un de ses termes fétiches – des figures et du fond était, à ses yeux, « tragique »[26]. Tout ce qui relève de la tridimensionnalité simulée par la perspective « doit être détruit. »[27] L'histoire de la carrière de Mondrian est celle d'une guerre sans cesse rallumée contre les figures qui ne renoncent jamais à tenter de s'arracher du fond. Il pensa réussir à les mater en montrant que les branches de l'arbre et le vide entre elles se situaient sur le même plan, mais l'arbre se redressait toujours[28]. Il s'essaya au facettage du cubisme, mais celui-ci lui opposa ses dégradés Il s'imagina que l'horizontalité monoplane de la mer aurait raison de la digue ou de l'église de Domburg, mais d'ultimes remous rappelèrent ces présences verticales.

De simplification en purification, il crut avoir trouvé le remède en se bornant aux formes neutres d'une géométrie n'usant que de verticales et d'horizontales, ainsi que de couleurs nombreuses et, de surcroît, sévèrement maintenues dans le cadre étroit de valeurs uniformément pâles : il en résulta une marqueterie qui suffisait à inventer le Néo-plasticisme, mais dont la régularité mécanique ne pouvait satisfaire le spiritualiste qui, peu auparavant, écrivait : « c'est en voyant la surface que l'image intérieure se forme en notre âme. »[29] La régularité absolue sied au Créateur, pas aux créatures : l'équivalence n'est pas l'égalité. En attendant que l'homme s'identifie à Dieu, aboutissement que Mondrian avait naguère jugé imminent, en ce qui le concernait[30], il devait se contenter de neutraliser la « non-équivalence » avec les seuls moyens que le ciel lui avait confié : les lignes horizontales et verticales. Leur orthogonalité inflexible les préservait d'être contaminées par les sinuosités du vivant, de l'organique et, par-dessus tout, de l'humain, principal fournisseur de figures pour les peintres.

Il se trompait. En quadrillant la toile, les lignes verticales et horizontales engendraient des rectangles dont certains – et pas seulement ceux qu'une couleur remplissait à ras bord – se comportaient comme des figures, entendez : faisaient mine de se rebeller contre le plan pictural. Pour les y soumettre à nouveau ou prévenir tout soulèvement intempestif, Mondrian use de procédés que les amateurs de tapis reconnaîtront. Nous percevons des rectangles là où nous avons l'impression qu'ils précèdent, voire produisent les lignes qui les délimitent. En revanche, dès que nous lisons les quatre angles droits qui les forment, non pas comme des rectangles, mais comme les croisements de lignes infinies, les rectangles rentrent, si j'ose dire, dans le rang. L'ardu est de faire ressentir comme infinies des lignes qui butent contre le bord (le cadre) du tableau.

Pour surmonter la difficulté, Mondrian s'est, me semble-t-il, souvenu du tapis d'Orient, dont tant d'exemplaires réchauffaient et les peintures et les intérieurs hollandais. Il gomme l'obstacle apparemment infranchissable des bords de la toile en induisant en nous la conviction qu'un rectangle dont un ou plusieurs côtés sont visibles dans le tableau exige d'être complété par un ou plusieurs côtés situés hors de l'œuvre, donc virtuels. Plus ces tracés virtuels s'imposent à nous, moins nous serons tentés de voir les lignes s'immobiliser et s'agencer à l'intérieur de la peinture en rectangles « tragiques ». Dans *Composition avec lignes jaunes* (1933), aucun des carrés possibles à partir des quatre petits pans coupés jaunes de la toile carrée reposant sur un de ses sommets n'exhibe réellement plus qu'une infime part de sa superficie.

Nous sommes si intimement convaincus que les lignes qui divisent les tableaux de Mondrian ne s'interrompent pas à leurs bords, mais arrivent de l'infini et y retournent, que leur visibilité durant leur brève traversée de la toile nous paraît due à un effet d'éclairage passager. L'illusion serait vite dissipée si elle ne reposait sur une réalité optique que le tapis d'Orient a su exploiter à merveille : lorsque deux espaces contigus – l'un matériel, l'autre virtuel – se situent sur le même plan, la superficialité et l'horizontalité qui les réunissent prévaut sur la verticalité de la frontière qui les divise. L'image est, dès lors, d'autant plus apte à s'étendre, malgré la barrière du cadre ou de la bordure qu'elle est à base de figures répétitives qui se transforment en fonds, lesquels se transforment en de nouvelles figures qui à leur tour engendrent d'autres fonds encore... Cette propension à s'étendre est encore accrue par le fait que si le dessin linéaire peut parfois freiner l'expansion de l'image, la couleur, dominante ici, est par nature encline à déborder.

Dans ces conditions, l'œil de l'esprit, prenant le relais de l'œil corporel, dilate l'œuvre bien au-delà de ses limites matérielles, ce dont nous pouvons aisément nous assurer en constatant que, quand un tapis possède ces qualités, notre imagination le déploie à perte de vue, même s'il ne subsiste de lui qu'un fragment.

Comme Matisse, Mondrian ne pourra empêcher le doute, l'incertitude de faire vaciller sa conviction et de susciter de nouveaux soulèvements qui le pousseront à chercher d'autres parades. Au cours des années trente, il multiplie les lignes, comme autant de repentirs. Alors que la singularité distingue les formes, les fait sortir du lot, leur multiplication les réduit à l'anonymat. Mais c'est surtout à la « technique de la couleur » telle que la propose le tapis d'Orient que Mondrian demande conseil. Elle ne se borne plus à emplir de façon neutre des formes closes : Mondrian prend maintenant en compte l'antagonisme de la couleur et du dessin (réduit à des lignes droites noires). Elle s'étend et unifie, alors qu'il arrête et divise. Elle adhère toujours au fond, alors qu'il s'en détache. Mondrian va jouer de leur incompatibilité plutôt que de la nier. Il les croise, les tresse, les entretisse, les incite à troquer leurs rôles : rapprochant les lignes noires en les épaississant, il en fait des plages, cependant qu'amincies, les couleurs deviennent des lignes. Il arrive maintenant qu'une bande rouge passe par-dessus une ligne noire, et puisque la couleur va toujours se placer le plus près possible du fond, c'est-à-dire sous toutes les autres composantes de l'image, cet enjambement refoule la ligne noire vers le fond d'où elle menaçait de se détacher.

Dans les derniers tableaux de Mondrian, le noir se fait rare et finit par disparaître. L'orthogonalité des figures est obtenue par un dessin négatif résultant de blocs aux contours nets et aux couleurs fortement contrastées : c'est la méthode utilisée par Matisse depuis les années fauves pour dessiner des figures sans les détacher du fond. Lorsqu'il s'agit de manipuler des figures géométriques de grandes dimensions, néanmoins, le dessin négatif ne suffit plus pour émousser le tranchant des lignes. Mondrian et Matisse ont alors recours au même procédé : en fragmentant les grandes surfaces colorées, qui dès lors prennent l'aspect de mosaïques, ils neutralisent le penchant restrictif des lignes et libèrent la nature expansive des couleurs. Tous deux ont pu se souvenir, à cette occasion, du divisionnisme de Signac, mais la similitude de *Broadway Boogie-Woogie* (1942-1943) de Mondrian et des *Abeilles* de Matisse est si troublante qu'on est tenté de l'attribuer à l'influence de ces tentures de pierre que sont les grandes céramiques murales de l'Orient musulman. Matisse en avait admiré en Andalousie et vu comment la miniaturisation de figures géométriques pouvait, sans renoncer à leur rectilinéarité, permettre de les assouplir jusqu'à les rendre capables d'évoquer des figures humaines – en l'occurrence les Dominicaines à qui était destinée la Chapelle de Vence. L'œuvre était le carton du vitrail qui devait se dresser derrière l'autel ; un autre projet lui ayant été préféré, le vitrail trouva refuge au Cateau-Cambrésis, ville natale de l'artiste, dans une école où il se laïcisa en changeant de titre : un essaim d'abeilles s'y est substitué à une procession de religieuses.

Rien ne permet d'affirmer que Mondrian a vu des céramiques murales musulmanes, mais sa connaissance de la « grande leçon » dispensée par le tapis suffit pour rendre compte de la nouveauté de *Broadway Boogie-Woogie,* ainsi que de sa parenté, sinon de sa ressemblance, avec *Les Abeilles.* En revanche, l'influence de certains mandalas du Tibet et du nord de l'Inde sur son dernier tableau, *Victory Boogie-Woogie*, est plus que plausible, car il a pu en apercevoir à New York, au Museum of Natural History, et il en a vu chez une de ses grandes amies, Charmion von Wiegand. La miniaturisation – la pulvérisation, serait-on presque tenté de dire – des figures géométriques, ainsi que la prolifération exponentielle des figures de divinités standardisées, suscite en qui fixe son regard sur ces étoffes peintes un vertige physique qui débouche sur le vide

fig. 2
PIET MONDRIAN,
Broadway Boogie-Woogie,
1942-1943.
Museum of Modern Art,
New York.

fig. 3
HENRI MATISSE,
Les Abeilles, 1948.
Musée Matisse, Nice.

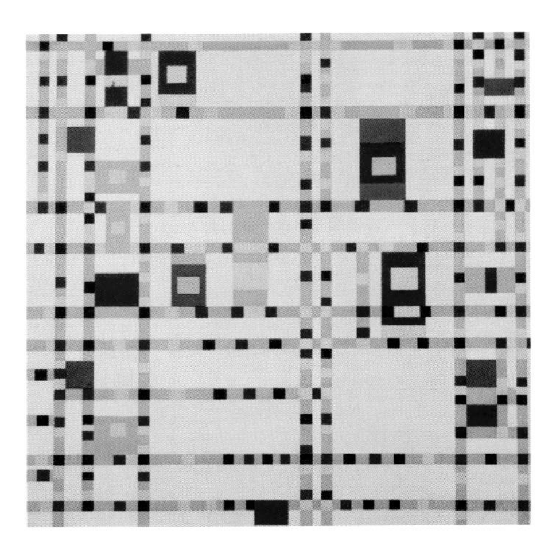

spirituel. Vide auquel Mondrian, revenu de son adoration de l'Angle droit, aspire parce que la peinture de surface appelle un dieu et que l'absence de Dieu est, comme le disait Georges Bataille, le dernier des dieux… Cette caution-là, seul un Orient extrême pouvait la lui offrir.

Gauguin s'extasie sur « la merveilleuse éloquence » dont a été dotée le tapis. Il n'a pas choisi le mot « éloquence » à la légère : le tapis parle. La « langue de l'œil » que maîtrisent Matisse et Mondrian, « écoute ». Elle s'est constituée pour recevoir et rendre sur son miroir, dont la parfaite planéité garantit la fidélité, un message, une vision, une vérité d'en-haut. Décoration et sacré sont, en quelque sorte, les deux faces d'une même réalité. « La première qualité d'une œuvre est d'être décorative »[31], affirme Matisse, qui dit encore : « Tout art digne de ce nom est religieux. »[32] Quitte à intervenir à la place de Dieu, si celui-ci ne se manifeste plus. À la religieuse qui, surprise d'entendre le maître dire qu'il avait fait sa chapelle pour lui-même, s'écrie : « Mais vous m'aviez dit que vous l'aviez faite pour Dieu ! », Matisse répond : « Oui, mais Dieu, c'est moi. »[33] Un petit dialogue inséré dans *Jazz* éclaire cette remarque : – Croyez-vous en Dieu, demande l'interlocuteur. – Oui, quand je travaille, répond le peintre. Dans sa lettre à Arnold Saalborn, on vient de le voir, Mondrian écrit que si on y travaille avec acharnement, « on finit par devenir Dieu. »[34]

IV. JEAN DUBUFFET

« … et moi je ne suis pas Dieu », écrit Jean Dubuffet à Jean Paulhan[35]. Normalement, son athéisme proclamé aurait dû engendrer chez lui une parfaite indifférence à la décoration et, en particulier au tapis, qui est l'exemple emblématique de cet art. Or, le contraire se produit, pour des raisons qui éclairent un aspect inattendu des rapports entre l'art du tapis et la peinture moderne.

La définition qu'en donne Dubuffet en 1946 ne diffère guère des versions proposées par Matisse, Mondrian ou Rothko – la truculence en plus : « Le propos de la peinture est d'orner des surfaces et elle considère donc deux dimensions seulement et exclut la profondeur. (…) Trouvons donc plutôt d'ingénieuses transcriptions pour aplatir tous les objets sur la surface ; faire parler à la surface son propre langage de surface et non un faux langage d'espace à trois dimensions qui n'est pas le sien (…) Mes yeux se plaisent grandement à se reposer sur une surface bien plane et particulièrement sur une surface rectangulaire. Les objets représentés y seraient transportés, changés en galettes, aplatis au fer à repasser. »[36]

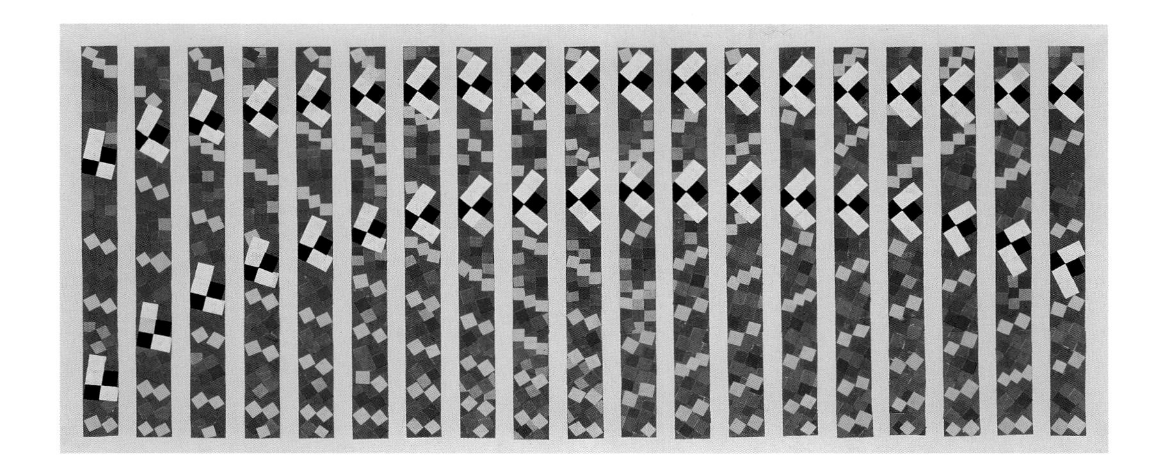

Cette définition se double d'une description précise de sa peinture à venir dans les années suivantes. Tout semble donc se passer pour le mieux : la richesse de sa matière permet à Dubuffet de réduire ses figures à des galettes tout en sauvegardant leur droit à une certaine épaisseur. La difficulté surgit d'un côté d'où il ne l'attend pas ou alors, s'il la reconnaît, il ne la juge pas dangereuse : « Toutes mes peintures, quel que soit le sujet qui s'y trouve traité, sont constamment polarisées par le goût très fort du mur… »[37] L'obsession, l'attirance du mur confrontent Dubuffet à la verticalité de manière plus oppressante que la toile ou la feuille de papier. Or le peintre est claustrophobe. Son livre, *Asphyxiante culture*, est la transposition intellectuelle, métaphysique d'une angoisse au premier chef physique : elle l'aura poussé à séjourner longuement, à deux reprises, au Sahara. Le sentiment le gagne, de plus en plus insupportable, qu'il se heurte à un mur, le mur de la modernité dont il continue néanmoins de se réclamer. Il est un prisonnier dans son cachot.

Comme tout prisonnier, il est habité par une idée fixe : prendre le large – littéralement : substituer à la verticalité étouffante l'horizontalité libératrice. Reste à passer de l'une à l'autre. En 1957, Dubuffet tient la réponse : « Créer une équivoque entre les faits verticaux et les faits horizontaux, les uns et les autres présentés pareillement en figures frontales. »[38] Et à cette fin, prendre le mur au pied de la lettre, comme le fait *Porte au chiendent* (1957), qui passe de la verticale du mur à l'horizontale du sol grâce à leur matière commune – pierre en haut, poussière de pierre en bas – et à leur commune frontalité, lesquelles font oublier la cassure à angle droit qui les sépare. Une fois le sol atteint, le peintre n'a plus qu'à prendre la poudre d'escampette.

Suivent les *Texturologies*, les *Topographies*, les *Matériologies*. « Ce que ces tableaux me fournissent encore, écrit Dubuffet, c'est une paix. Une paix ardente, pleine d'exaltation sereine comme celle des méditations asiatiques. Grande paix des tapis, plaines nues et vides, silencieuses étendues ininterrompues dont rien ne vient altérer l'homogénéité, la continuité. »[39] Dans cette évocation lyrique – au demeurant, l'une des plus belles parmi les pages de ce genre que nous ait laissées Dubuffet – la présence de tapis n'est pas à prendre à la légère, je veux dire : comme une simple comparaison poétique. Parmi les nombreux *Sols* peints par Dubuffet pendant quelques années, il en est où le petit pan de terre se souvient du tapis, comme lui plat, rectangulaire et horizontal, et braque sa surface sablonneuse, tel un miroir, vers le ciel : ainsi naissent *Constellations*. Quoique le cosmos fouillé par les télescopes y remplace le ciel divin, l'artiste qui ne se prend pas pour Dieu et ne croit pas en lui retrouve, aussi bien pour en parler que pour les peindre, le ton qui sied au sacré : il parle de « Célébrations du sol. »

Pour épique que soient les œuvres de cette « Geste de la terre », Dubuffet ne pouvait s'en tenir là. C'est qu'elles devaient leur réussite au fait que la figure humaine, qui y aurait introduit un élément incompatible avec leur horizontalité, en était totalement absente. Or tout comme Matisse, Dubuffet a besoin de la figure humaine. Aussi semble-t-il, un temps, revenir aux sujets et à la manière qui étaient les siennes avant la Geste de la terre, tout en s'efforçant de faire adhérer les figures humaines au fond par le recours à l'un des grands enseignements du tapis : en traitant les figures, non comme des individus, mais comme des foules – autrement dit : comme les unités répétitives d'un *pattern.*

Ce compromis ingénieux ne lui suffit plus. Une solution plus audacieuse va se présenter. Tout écrit, toute écriture se donne à lire et à voir sur un fond abstrait – l'écran mental. Il importe donc d'*écrire* les figures, toutes les figures, les humaines et les autres. C'est ce qu'entreprend l'*Hourloupe* avec tant d'énergie et d'efficacité qu'elle donne l'impression de pouvoir, de proche en proche, prendre et figer dans son discours glacial l'univers entier, y compris l'homme (c'est d'ailleurs le drame que met en scène *Coucou Bazar*).

D'où, un ultime changement de cap : Dubuffet rompt avec l'Hourloupe et revient à la configuration originelle figure/fond. L'inguérissable dualisme prend à présent une forme inédite : dans le massif torrent du *Théâtre de mémoire*, l'instant d'éternité des souvenirs est aux prises avec le temps qui passe. D'une part, arrimés, des patchs immobiles contenant des personnages, des scènes ; de l'autre, une écriture abstraite, *cursive*, traversant la toile d'un bout à l'autre. Comment raccommoder ces deux incompatibles ? Les titres de certaines de ces peintures suffiraient à prouver que Dubuffet fait appel ici au tapis. *La Main courante* est celle du licier qui fabrique *Le Tissu de mémoire*, et qui tresse *La Vision tisserande*. Dubuffet entretisse le fil à plomb des souvenirs et le fil du temps.

Pour que la méthode fonctionne, il importe que les deux actions soient équilibrées : qu'entre elles il y ait, dirait Mondrian, « équivalence ». De fait, elle règne dans les premières toiles du cycle du *Théâtre de mémoire*. Peu à peu, cependant, le cours du temps s'accélère. À mesure que forcit le courant horizontal, les figures se délitent, se déforment. De tableau en tableau, ce que Dubuffet, hanté à cette heure tardive par le modèle de l'étoffe, nomme « le tissu continu des choses »[40] s'étire, s'effiloche. Ces ultimes toiles font penser aux tissus coptes tardifs, dans lesquels le style hellénistique, absorbé, submergé par le style musulman, ne survit, qu'au prix d'une suprême résistance.

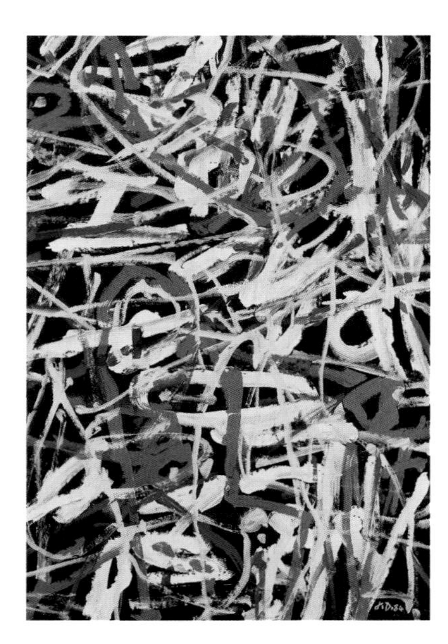

fig. 4
JEAN DUBUFFET,
Champ d'expansion (L 33) : non-lieux, 1984.
Musée national d'Art moderne – Centre Georges Pompidou, Paris.

Maintenant le temps passe trop vite pour que sa main lui arrache un lambeau d'espace où imprimer du sens. Du moins est-ce le sentiment de Dubuffet : « Il se pourrait que j'aie mené mon train trop loin, qu'il soit sorti de ses rails, sans possibilité de faire machine arrière. Au point où le voilà – perdue la différence de l'être et du non-être –, la peinture n'a peut-être plus rien de ce qui faisait sa vocation, elle a perdu son axe. La pensée aussi. La table n'est pas seulement devenue trop rase, il n'y a plus de table. La peinture n'aurait plus qu'à plier bagage. »[41] Mais il se trompe, puisqu'il peint encore une dernière série de tableaux. Des fils rouges, blancs, jaunes, bleus balafrent une nuit uniformément noire, se tordent parmi les ressacs, se dénouent, s'emmêlent, laissent des sillages étincelants dans une nuit uniformément noire. Dubuffet a intitulé ces œuvres *Non-lieux,* comme pour signifier qu'ici il ne saurait y avoir peinture, peinture signifiante, puisque celle-ci exige de l'espace et qu'ici il n'y a plus que le temps. Or ces toiles ultimes ont un sens, celui du courant qui les entraîne et les dissout. Sens que les images poétiques du train fou et de la table rase sont incapables d'infuser aux *Non-lieux,* mais que sa « mémoire tisserande » communique à son pinceau : en peignant, peut-être à son insu, une étoffe qui se défait, Dubuffet donne une forme à sa mort.

1 Paul Gauguin, « Diverses choses », dans *Oviri, écrits d'un sauvage*, textes choisis et présentés par Daniel Gudrin, Paris, Gallimard, 1974, page 178 (écrit vers 1891-1898, ce texte est demeuré inédit jusqu'à la publication de ce recueil). **2** Les artistes discutés en ces pages l'ont été plus largement, mais sous un éclairage différent, dans Pierre Schneider, *Petite histoire de l'infini en peinture*, Hazan, Paris, 1981. **3** Maurice Denis, *Théories (1890-1910)*, dans Maurice Denis, *Du symbolisme au classicisme. Théories*, Paris, Hermann, 1964, p.33 : « Se rappeler qu'un tableau – avant d'être un cheval de bataille, une femme nue, ou une quelconque anecdote – est essentiellement une surface plane recouverte de couleurs en un certain ordre assemblées ». **4** Cité dans Diane Waldman, *Mark Rothko, 1903-1970*, New York, Henry N. Abrams, 1978. **5** Gauguin, *Oviri…*, *op.cit.*, p.176 : « Où est ce soleil qui réchauffe, qu'est devenu cet immense tapis d'Orient ? » **6** cf. note 1. **7** Cité dans le catalogue de l'exposition *L'Orient en question, 1825-1871*, Marseille, musée Cantini, 1975, p.21. **8** Proposons de les distinguer ainsi : l'orientalisme adapte l'Orient à sa propre esthétique, l'orientalité se laisse conquérir par celle de l'Orient. **9** *Les Joueurs de cartes* de Cézanne ne serait-il pas la réponse du peintre à ces critiques ? **10** Henri Matisse à frère Rayssiguier (9 janvier 1949), dans H. Matisse, L.B. Rayssiguier, M.A. Couturier, *La Chapelle de Vence. Journal d'une création*, Paris, 1993, p.130. **11** « Entretien avec Léon Degand », *Les Lettres françaises*, n°76, 6 octobre 1945, dans *Henri Matisse, Écrits et propos sur l'art* (textes, notes et index établis par Dominique Fourcade, Paris, Hermann, 1972, p. 308. **12** Cité dans Pierre Schneider, *Petite histoire de l'infini en peinture*, *op.cit.*, p.388. **13** « Le Chemin de la couleur », propos recueillis par Gaston Diehl (1947), dans Fourcade, *op.cit.*, p.207. **14** Consulter le récent et précieux catalogue de l'exposition «Matisse et la couleur des tissus» (23 octobre 2004 - 13 février 2005), musée Matisse, Le Cateau-Cambrésis, Gallimard (textes de Hilary Spurling, Jack Flam, Rémi Labrusse, Dominique Simuziak **15** Citons les principales : *Nature morte, vaisselle à table* (1902), *Les Tapis rouges* (1906), *Bronze aux œillets* (1907), *Nature morte rouge de Venise* (1908), *Nature morte, camaïeu bleu* (1909), *Bronze et fruits* (1910). **16** Paul Gauguin, *Lettres*, Paris, Grasset, 1946, p.193. **17** Paul Gauguin, « Diverses choses », *op. cit.*, p.156. **18** Henri Matisse **19** cf. note 1. **20** Ainsi, en 1935, dans un entretien publié dans *The Studio* et repris dans Fourcade, *op. cit.*, p. 131 : « Pour moi, le sujet d'un tableau et le fond de ce tableau ont la même valeur, ou pour le dire plus clairement, aucun point n'est plus important qu'un autre. » **21** « *Deus fecit hominem rectum* » dit l'Ecclésiaste. La remarque sera reprise et développée par saint Thomas d'Aquin. **22** Henri Matisse, *Notes d'un peintre* (1908), dans Fourcade, *op. cit.*, p. 49. **23** Une tentative ouvertement décorative, *Nu sur fond de fleurs,* détruit par l'artiste, n'a survécu que grâce à sa présence dans l'*Atelier rouge*, peint lui aussi en 1911. Le *Café arabe* est assurément un chef-d'œuvre incomparable, mais s'il est fait de « l'étoffe des rêves » comme dit Shakespeare, il n'est pas un rêve d'étoffes. D'être ceint d'une bordure de babouches ne le rend pas plus décoratif que l'*Intérieur aux aubergines* dont Matisse a fini par supprimer la bordure de fleurs qui l'entourait. **24** Paul Gaugin, cf. note 5. **25** Harry Holtzman et Martin S. James, *The Collected Writings of Piet Mondrian*, Boston, G. K. Hall & Co., 1986, p. 339 : « *In my early pictures, space was still a background. I began to determine forms, verticals and horizontals became rectangles. They still appeared as detached forms against a background…* » (traduction Pierre Schneider). **26** Holtzman, *op. cit.*, p. 339: « *I felt that the tragic is created by unequivalence* » (traduction Pierre Schneider). **27** Holtzman, *op. cit.*, p. 357: « *This very space has to be destroyed.* » (traduction Pierre Schneider). **28** Mêmes causes, mêmes effets. En 1942, Matisse s'attaque au thème de l'ordre pour illustrer la nécessité de l'équivalence. À ce propos, il note « le dessin des vides laissés autour des branches comptait autant que le dessin même des feuilles. » Lettre à André Rouveyre (1942), dans Foucarde, *op. cit.*, p. 168. **29** Michel Seuphor, *Piet Mondrian*, Paris, Librairie Séguier / Archambaud / Birr, 1987, p. 94. **30** À force de travailler à la connaissance de soi, écrit Mondrian à Arnold Saalborn, vers 1909 « on finit par devenir Dieu. », Holtzman, *op. cit.*, p.19 : « *one becomes finally God.* » (traduction Pierre Schneider). **31** cf. note 18. **32** Propos rapportés par Georges Charbonnier, dans Fourcade, *op. cit.*, p. 267. **33** Cité dans Pierre Schneider, *Henri Matisse*, p. 675. **34** cf. note 29. **35** Lettre à Jean Paulhan (1944), dans Jean Dubuffet, *Prospectus et autres écrits*, Gallimard, Paris, 1967, tome II, p. 230. **36** Jean Dubuffet, « Notes pour les fins lettrés » (1946), dans *Prospectus…*, tome I, p. 74. **37** Lettre à Pieyre de Mandiargue (18 octobre 1957), dans *Prospectus…*, tome I, p. 470. **38** « Bâtons rompus » dans *Prospectus…*, tome III, p. 124. **39** *Prospectus…*, tome I, p. 156. **40** Catalogue de l'exposition *Dubuffet : les dernières années*, Paris, Galerie nationale du Jeu de Paume, 1991, p. 76. **41** *Prospectus…*, tome III, p. 165.

NOTICES DES ŒUVRES EXPOSÉES

Les notices du présent catalogue ont été rédigées par les auteurs suivants :

ROLAND GILLES (R. G.)

JOËLLE LEMAISTRE (J. L.)

MARIA FERNANDA PASSOS LEITE (M. F. P. L.)

FRIEDRICH SPULHER (F. S.)

RICHARD DE UNGER (R. de U.)

DANIEL WALKER (D. W.)

1

TAPIS DES BENI OURAYN

Maroc, Moyen Atlas, début du XXe siècle

412 x 183 cm

Fès, musée du Batha, inv. 46-13

ANALYSE TECHNIQUE

- **Chaîne** : laine grise, filée Z2S
- **Trame** : laine brune, filée Z2, différentes passées
- **Velours** : laine, filé Z2, nœuds berbères (le brin de laine s'enlace sur 4 fils de chaîne), 850 nœuds/dm^2
- **Couleurs** : blanc, noir et marron

BIBLIOGRAPHIE

- Khatibi A. et Amahan A., *Du signe à l'image*, Casablanca, 1995, p. 64-65.
- Sefrioui A., « Le Tapis marocain », *From the Far West, Carpets and Textiles of Morocco,* The Textile Museum, Washington, D,C, 1980, p. 90.

Au cœur du massif montagneux du Moyen Atlas, évoluent les tribus des Beni M'guild, Aït Youssi et Beni Ourayn. Ces derniers sont connus pour leurs tapis de haute laine à fond blanc ou gris clair, parsemé de curieux dessins noirs. Généralement peu décorés, sans bordure d'encadrement et sans agencement décoratif déterminé, leurs ouvrages présentent une surface parcourue de simples lignes ou de réseaux losangés, disposés au gré de la tisserande. Appelés « ichdif » ou « tahalst », ces tapis servaient de matelas ou de couverture à tous les membres de la famille. Tout en confectionnant son ouvrage, la femme intégrait des croyances appartenant à la tradition berbère, en rapport avec les idées de fertilité, d'une relation toujours possible avec le monde des esprits ou de protection contre le mauvais œil. D'ailleurs, dans cette contrée où la laine est perçue comme un don du ciel, un simple fil noué sur le métier suffit pour protéger le cheptel et le foyer.

Dans ce tapis des Beni Ourayn, la surface striée de lignes noires, de losanges, de rhombes et de damiers, donne une sensation de vibration puissante, que n'aurait pas donnée un décor composé. La pièce offre un bel exemple de ce style anarchique et spontané que l'on retrouve par ailleurs dans de nombreux tapis du Haouz de Marrakech et qui, dicté par l'inconscient ou le génie de la tisserande, fait ressurgir les signes les plus anciens de la culture berbère.

J. L.

2

FRAGMENT TEXTILE, TAQUETÉ FAÇONNÉ EN LAINE

Égypte, VIe - VIIe siècle

29 x 20,5 cm

Ham, The Keir Collection, inv. 148

BIBLIOGRAPHIE

- Robinson B. (éd.), *Islamic Painting and the Arts of the Book in the Keir Collection*, Londres, 1976, pl. I.17.
- Watt J., Wardell A., *When Silk was Gold, Central Asian and Chinese Textiles*, The Metropolitan Museum of Art, New York, 1997, n°5.

Bien que ce fragment soit relativement petit, le décor qui l'anime est assez éloquent pour pouvoir tirer un certain nombre de remarques sur l'artisanat du textile en Égypte, à la charnière des époques byzantine et islamique. La composition s'organise en registres à fond rouge, garnis de motifs répétés, que séparent des registres verts plus étroits, portant un thème de rinceau à feuilles triangulaires, opposées ou convergentes. Le registre supérieur rouge est meublé d'une succession de médaillons octogonaux à bordure perlée abritant chacun deux oiseaux affrontés. Le motif du bandeau inférieur se compose d'une petite rosette encadrée par quatre équerres massives, elles-mêmes entourées de deux lignes parallèles mouchetées. Tous les éléments du dessin sont rendus en blanc.

Les oiseaux qui figurent dans les médaillons octogonaux renvoient directement à la décoration des tissus sogdiens de l'époque. Malgré une exécution assez grossière, le traitement du thème, et notamment l'entourage perlé, évoque les précieuses soieries d'Asie centrale que l'Égypte devait importer à cette époque. Une tunique d'enfant, en parfait état de conservation, appartenant au Cleveland Museum of Art pourrait fournir un excellent prototype à cet exemplaire égyptien d'aspect relativement modeste. Cette inclusion de motifs central-asiatiques ne constitue pas ici un phénomène isolé ; ces thèmes sont entrés pendant une période assez brève, semble-t-il, dans le répertoire des tisserands. Un petit dessin sur parchemin de la Keir Collection, trouvé à Fostat, représente un motif pour tissu épousant la forme d'un *simurgh*[1]. Il illustre bien cette fascination pour « l'exotisme ». Reste à savoir (et cela a été débattu), si ces motifs ont été directement empruntés aux textiles central-asiatiques de la Sogdiane ou copiés sur des tissus sassanides qui les transmettaient. Étant donné que l'on trouve les uns et les autres, venus par on ne sait quel chemin, dans le trésor de nos cathédrales, il n'y a aucune raison de penser que la corporation des tisserands d'Égypte n'ait pas collectivement bénéficié de leur double apport.

Quant aux motifs géométriques et aux rinceaux, ils s'inscrivent résolument dans une tradition plus ancienne et plus classique. Toutefois, c'est la présence des médaillons d'inspiration sogdienne qui illustre cette propension à la fusion des styles, si intéressante dans l'art textile.

R. de U.

1 Le *simurgh* est une créature fabuleuse de la mythologie persane, dans laquelle se combinent le chien, le lion et l'oiseau.

3

FRAGMENT DE TAPIS ANATOLIEN

Trouvé à Fostat (Égypte), XVe - XVIe siècle

28,5 x 21,5 cm

Ham, The Keir Collection, inv. 13

BIBLIOGRAPHIE

- Balpinar B., Hirsch U., *Carpets of the Vakiflar Museum, Istanbul*, Wesel, 1988, pl. 11, p. 198-199.
- King D. et Sylvester D. (éd.), *The Eastern Carpet in the Western World, from the 15th to the 17th Century*, Londres, 1983, n°26.
- Lamm C. J., *Carpet fragments: the Marby rug and some fragments of carpets found in Egypt*, Stockholm, 1985, n°18-19.
- Spuhler F., *Islamic Carpets and Textiles in the Keir Collection*, Londres, 1978, n°13.

Ce fragment est orné d'un médaillon octogonal à contour fleuronné, où prédominent les teintes turquoise, sur un fond couleur poil de chameau. L'intérieur du médaillon est agrémenté d'un motif géométrique, peut-être d'inspiration florale, dont les entrelacs garance et noisette convergent vers un centre étoilé, lui-même marqué d'une petite rosette à pétales violets et verts. Le médaillon octogonal devait être encadré de triangles rectangles formant un caisson et qui, en se répétant, devait donner l'impression d'un pavement continu. Les vestiges de deux de ces triangles rectangles sont encore visibles sur notre fragment.

La pièce fut d'abord inventoriée comme fragment d'un tapis « Holbein à grands motifs ». Dans ces types de tapis, les octogones, alignés verticalement sont à la fois séparés et réunis par un entourage de bandeaux formant cloisons. Mais étant donné le format réduit de notre octogone, il s'agit plus vraisemblablement d'un des quatre petits médaillons-satellites qui entouraient soit un médaillon central unique, soit les grands médaillons du champ. Un tapis turc conservé au Musée national de Bavière, à Munich, ainsi qu'une pièce similaire aux Vakiflar Müzesi d'Istanbul présentent l'un et l'autre cette construction décorative à laquelle pourrait appartenir notre fragment. Sur le tapis d'Istanbul – qui provient de la Grande Mosquée de Divrigi –, la distribution des couleurs est très proche de celle du fragment de Fostat, à ceci près que les médaillons octogonaux ne sont pas encadrés par des triangles rectangles. C'est avec une certaine négligence qu'on a inclus cette construction en quinconce dans le groupe des « Holbein à grands motifs » ; car bien que techniquement différents, les tapis ainsi décorés sont très proches de l'agencement des « Para-Mamelouks ». Il n'est pas inconcevable de penser que ces derniers, qui étaient aussi fabriqués en Anatolie, ont pu être produits pour le marché égyptien.

Comme beaucoup d'autres, ce fragment a été trouvé dans les fosses à rebuts qui bordent le Vieux-Caire, en particulier à Fostat. Déjà, dans les années 1930, ces vestiges constituaient des articles commercialisables pour les marchands du Caire qui les présentaient avec un insouciant : « C'est grâce à Dieu si ces petites choses existent encore ! ». Ces pièces, qui ont subsisté par bonheur, ont été collectées et étudiées avec ferveur puisqu'elles constituaient un des rares documents matériels nous reliant aux anciennes traditions tisserandes d'Anatolie, d'Égypte, ou d'Espagne.

R. de U.

KAZAK KARACHOF À GRAND CAISSON

Arménie caucasienne, région de Karachof, XIXe siècle

225 x 165 cm

Paris, musée Jacquemart-André, inv. T746-3

ANALYSE TECHNIQUE

- **Chaîne** : laine beige, filée Z2S
- **Trame** : laine rougeâtre, deux passées, même tension
- **Velours** : laine, nœuds turcs (symétriques), 1200 nœuds/dm²

INÉDIT

Le champ bleu sombre est occupé en son milieu par un grand carré, dont les écoinçons en damier configurent à leur tour un ample octogone à fond blanc, timbré au centre d'un octogone plus réduit, rouge vif. Diverses barres crochetées entrecoupent ces grandes figures géométriques. Quatre carreaux blancs à semis d'étoiles, hérissés de hampes crochetées, encadrent le caisson central. La grande bordure à fond jaune est parée de feuilles dentelées posées en feston, garnies soit d'une tige, soit d'une petite silhouette féminine rappelant les *ali-belinde* des kilims turcs anatoliens. Ce décor est une transcription villageoise des anciens tapis « Holbein à grands motifs » composés d'un grand caisson central encadré de quatre médaillons plus réduits, ou de certains tapis de type « Ghirlandaio » ; les uns et les autres souvent attribués à la région de Bergama, au nord-ouest de l'Anatolie, pour la bonne raison que les villageois en fabriquaient encore au cours du XIXe siècle, dans des versions plus simples, mais avec des techniques inchangées. Par suite d'on ne sait quelle migration des images ou des populations (car le déplacement des personnes a été une politique constante sous les Ottomans), ces décors, si marqués par le génie turc anatolien, se sont retrouvés réédités dans le Caucase central, en pleine région arménienne. À cet égard, on remarquera les petites dames du thème de bordure qui évoquent les déesses-mères de l'Anatolie mais qui résultent peut-être de la transformation d'un ancien motif de fleur. Quoi qu'il en soit, ce grand décor axial, sans inhibition, a été réalisé dans les ateliers villageois du Caucase dans la première moitié du XIXe siècle. Au terme d'un long processus de simplification, il retrouve une veine « chamaniste » qui appartient aux plus anciennes traditions des peuples de l'Asie antérieure.

L'exemplaire du musée Jacquemart-André, remarquable par l'équilibre de son décor, la qualité de ses laines et de ses teintures, présente aussi des traits d'ancienneté dans sa distribution chromatique : bordure jaune (très élégamment décorée), et champ bleu-nuit.

R. G.

5

TAPIS À MÉDAILLON

Turquie, Anatolie occidentale ou centrale, XVIIe siècle

130,8 x 156,2 cm

New York, The Metropolitan Museum of Art, legs de Joseph V. McMullan, 1973, inv. 1974.149.23

ANALYSE TECHNIQUE

- **Chaîne** : laine blanche, filée Z2S
- **Trame** : laine rougeâtre, filée Z, deux passées
- **Velours** : laine, filée Z, nœuds turcs (symétriques), 1046 nœuds/dm^2

EXPOSITION

- *Islamic Carpets from the Joseph V. McMullan Collections*, Hayward Gallery, Londres, 1972.

BIBLIOGRAPHIE

- McMullan J.V., *Islamic Carpets*, New York, 1965, n° 67, p. 230-231.

Joseph McMullan fut le premier collectionneur à reconnaître les qualités artistiques des tapis de villages et de tribus d'Anatolie fabriqués dans de modestes ateliers privés. À son époque, les études étaient essentiellement consacrées aux tapis provenant des manufactures royales ou destinés à l'exportation, et la production privée ne suscitait guère d'intérêt. La situation a évolué au cours des trente dernières années avec l'arrivée sur le marché de brillants spécimens appartenant à cette catégorie. La pièce présentée ici – qui n'émane visiblement pas d'un atelier de cour – est caractéristique de cette production provinciale par son interprétation simplifiée, mais néanmoins magistrale, d'un décor ancien et célèbre, de type « Holbein à grands motifs » dont l'origine remonte au XVe siècle. Un médaillon en losange, à contour polylobé, contient successivement un carré puis un octogone, puis un médaillon cruciforme à degrés. Cette figure centrale est cantonnée de quatre médaillons octogonaux plus réduits, selon une construction classique de type 2-1-2.

D. W.

6

TAPIS À MÉDAILLON

Turquie, Anatolie centrale, XVIIe siècle

159 x 208,3 cm

New York, The Metropolitan Museum of Art, legs de Joseph V. McMullan, 1973, inv. 1974.149.33

ANALYSE TECHNIQUE

- **Chaîne** : laine blanche, filée Z2S
- **Trame** : laine rougeâtre, filée Z, deux passées
- **Velours** : laine, nœuds turcs (symétriques), 744 nœuds/dm²

EXPOSITION

- *Islamic Carpets from the Joseph V. McMullan Collections*, Hayward Gallery, Londres, 1972.

BIBLIOGRAPHIE

- McMullan J.V., *Islamic Carpets*, New York, 1965, n° 108, p. 320-321.
- Dimand M.S., Mailey J., *Oriental Rugs in The Metropolitan Museum of Art*, New York, 1973, fig. 179, p. 194.

À l'instar de l'autre pièce de la collection McMullan présentée dans l'exposition (cat. 5), ce tapis de village anatolien est l'interprétation provinciale d'un décor classique. Le médaillon central, à profonde découpe anguleuse, est encadré de loin par des quadrants placés dans les angles du champ. Ces derniers sont stylisés et géométrisés à l'extrême. L'effet obtenu, franc et direct, est d'une rare puissance que viennent encore renforcer le gigantisme du médaillon central et l'utilisation d'une palette chromatique intense. La bordure principale est parée d'un thème décoratif associé à la région de Konya.

D. W.

7

TROIS FRAGMENTS DE TAPIS « HOLBEIN À PETITS MOTIFS »

Anatolie, seconde moitié du XVe siècle

104 x 150 cm, 14 x 71 cm et 126 x 6 cm (bande de bordure)

Ham, The Keir Collection, inv. T2

ANALYSE TECHNIQUE

- **Chaîne** : laine blanche, filée Z2S
- **Trame** : laine rouge, filée Z, deux passées
- **Velours** : laine, filée Z, nœuds symétriques

BIBLIOGRAPHIE

- King D. et Sylvester D. (éd.), *The Eastern Carpet in the Western World, from the 15th to the 17th Century*, Londres, 1983, n°12.
- Spuhler F.et *al.*, *Islamic Art in the Keir Collection*, Londres, 1988, p. 55-57.

Le décor de cette pièce est composé d'une alternance de médaillons octogonaux et de médaillons en losange qui se détachent sur un champ bleu-vert. Les médaillons octogonaux, à pourtour légèrement fleurdelisé, contiennent chacun une étoile à huit branches dont les pointes viennent s'incruster entre huit fleurons. Ils adoptent alternativement un fond bleu clair à contour jaune, et un fond blanc à contour rouge. Les médaillons en losange, à peu près de la même taille, composés de fractions complexes, bleu, blanc et jaune, forment des quatre-feuilles à excroissances qui semblent flotter entre les « güls » octogonaux plus massifs. Ces grandes figures sont séparées par de petites pastilles étoilées rouge et bleu. La bordure intérieure, dont il subsiste ici deux témoignages, est ornée d'un rinceau bleu clair souligné de rouge, portant des calices jaunes et des fleurons blancs.
Ces fragments appartiennent au même tapis qui recouvrait un fauteuil de la collection Bernheimer[1] ; un autre petit morceau est conservé au Victoria and Albert Museum de Londres. Tous ces fragments ont une provenance commune : ils viennent du Palazzo Salvadore, l'ancienne adresse de l'antiquaire florentin du même nom. Les fragments présentés ici étaient trop divisés pour être recyclés en tissu d'ameublement. Ils nous sont donc parvenus tels quels, ou à peu près.
Ces fragments peuvent être classés sans conteste dans le groupe des « Holbein », même si on ne sait toujours pas s'ils représentent un lointain précurseur du type « Holbein à petits motifs » ou une version qui le concurrençait. Par ailleurs, le dessin des médaillons octogonaux se rapproche des « Holbein à grands motifs » de même que la distribution espacée des figures ; tout cela indiquerait une sorte de décor de transition faisant un pont entre les deux groupes. Pourtant, bien que ce tapis soit unique en son genre, on le trouve deux fois représenté dans la peinture de la fin du XVe siècle à Venise dans un tableau d'Antonello de Messine, peint vers 1476, et à Bruges dans un tableau de Memling peint en 1479. Cette dispersion géographique milite en faveur de l'existence d'une version distincte à l'intérieur du groupe Holbein.

R. de U.

1 Il est possible que la bordure coufique du fauteuil Bernheimer provienne d'un autre tapis et qu'elle ait été rattachée à la bordure intérieure et au champ de notre tapis. On sait que Salvadore avait l'habitude de garder des bandes de bordures susceptibles d'être remployées ultérieurement, comme en témoignent les nombreux exemples conservés dans la Keir Collection.

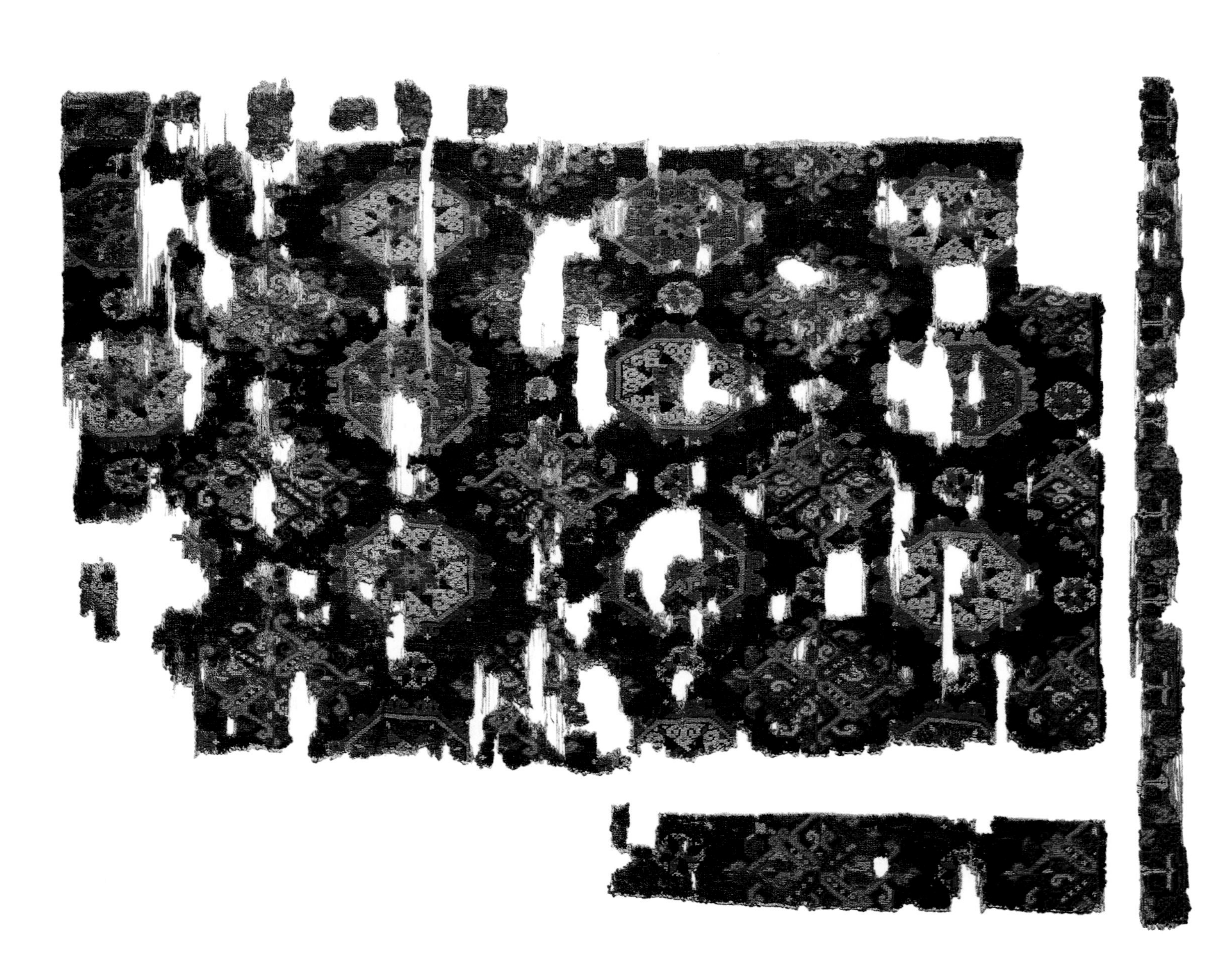

FRAGMENT DE TAPIS « HOLBEIN »

Turquie, Ouchak, XVIe siècle

233 x 231 cm

Berlin, Museum für Islamische Kunst, inv. KGM 1876, 1148,

achat du Kunstgewerbemuseum, 1876

ANALYSE TECHNIQUE

- **Chaîne** : laine blanche, filée Z2S
- **Trame** : laine rouge, filée Z2
  deux passées, l'une très légèrement
  plus tendue que l'autre
- **Velours** : laine, nœuds turcs, 957 nœuds/dm²

BIBLIOGRAPHIE

- Spuhler F., *Oriental Carpets in the Museum of Islamic Art, Berlin*, Washington D.C., 1987, n° 2.

Les appellations « Holbein » et « Lotto », purement utilitaires, remontent aux premières monographies qui s'appuyaient sur la figuration des tapis dans la peinture.

Ainsi, le *Portrait de George Gisze*, conservé à la Berliner Gemäldegalerie, exécuté par Hans Holbein le Jeune en 1532, fait apparaître un tapis de table qui appartient à un groupe de tapis anatoliens souvent représentés dans l'art pictural à partir du milieu du XVe siècle et jusqu'à 1600 environ, et que l'on désigne globalement sous le nom de « Holbein à petits motifs ». On connaît un nombre relativement important de pièces de ce genre, essentiellement des fragments. Leur schéma de construction place dans une sorte de quadrillage des rouelles octogonales dont le pourtour fermé décrit huit entrelacs et dont le centre est scellé d'une étoile. Aux intersections du quadrillage se développent des arabesques formant, comme dans un jeu de miroir, des médaillons cruciformes à excroissances sarmenteuses. Il existe deux versions de ce décor, l'une à fond monochrome bleu-vert, comme c'est le cas ici, et l'autre, où les rouelles octogonales reposent sur un fond bicolore semblable à un damier. Le thème de bordure, à chaînons quadrangulaires, rappelle à l'évidence l'écriture coufique des tapis seldjoukides de Konya. On estime plus anciens encore les thèmes de bordure où les éléments rigides et anguleux, comparables aux hampes de l'écriture arabe, s'ouvrent vers l'extérieur du tapis et se terminent par des pointes ouvragées (cat. 15). Ce thème décoratif connaît une évolution, représentée dans ce fragment, où la bordure intérieure est reprise une deuxième fois à l'extérieur. Dans ces tapis, tous les motifs sont soulignés d'un contour sombre. Y dominent les teintes rouges, dans des nuances allant du brun-rouge au rouge violacé ; mais on y trouve aussi du bleu, du jaune, du blanc et du vert.

Deux particularités distinguent ce fragment de la plupart des tapis « Holbein à petits motifs » : d'une part, le fond monochrome – un bleu-vert sombre –, beaucoup plus rare que le damier bicolore ; et, d'autre part, son format qui indique un tapis de grandes dimensions. Les rares exemplaires conservés dans leur intégralité observent des proportions où la longueur correspond à la largeur multipliée par 1,7 ou parfois par 1,9. D'après sa largeur (restée intacte dans la partie centrale), le tapis d'origine devait mesurer de 4,20 à 4,50 m.

F. S.

9

TAPIS DAMASCAIN À EFFET DE MOSAÏQUE

Syrie (?), Damas(?), XVIe siècle

164 x 118 cm

Paris, musée Jacquemart-André, inv. T 746-2

ANALYSE TECHNIQUE

- **Chaîne** : laine écrue et poil de chèvre, filés Z2S, aspect côtelé
- **Trame** : laine filée Z1, deux passées, l'une tendue brun clair, l'autre plus lâche, rouge clair
- **Velours** : laine filée Z2, nœuds persans ouverts sur la gauche, 1400 nœuds/dm²

Lisières manquantes

EXPOSITION

- *Tapis, Présent de l'Orient à l'Occident*, Institut du monde arabe, Paris, 1989, p. 48-49.

Sur le champ rouge feu se détachent quatre carreaux scellés en leur centre d'une étoile à seize pointes vert amande ou bleu roi. De menus éléments végétaux : fleurons, cyprès, rosettes, rayonnent à l'entour, comme orientés par un aimant. Les angles des carreaux sont coupés par des écoinçons. En haut du champ, deux autres carreaux sont figurés à moitié. La bordure d'encadrement, à fond vert amande, est occupée par des médaillons bleus polylobés prolongés de quatre demi-feuilles et de minces cartouches donnant naissance à des tiges en accolades.

L'origine de ces tapis dits de « Damas » reste encore énigmatique, même si le nom de « damascène » apparaît assez souvent dans les inventaires de la Renaissance sans que l'on sache à quel genre d'ouvrage renvoie la mention. Bien des traits les rattachent aux tapis mamelouks, eux-mêmes si mystérieux. Le lexique ornemental en étoiles et en petits ornements végétaux radiants est commun aux deux groupes, ainsi que la technique de nouage en nœuds persans (asymétriques). Toutefois, la laine des tapis de « Damas » n'est pas filée en torsion S, comme dans les textiles d'Égypte, mais en torsion Z, et les trames sont en laine rougeâtre ou beige rosé. Et surtout, la vivacité de l'écriture iconographique les rattachent aux traditions anatoliennes. On est donc en présence d'un produit issu d'une zone intermédiaire, influencée par les deux cultures, et tel était le cas de la plaine d'Adana, au sud de l'Anatolie comme de la Syrie soumises l'une et l'autre à l'autorité des Mamelouks jusqu'aux conquêtes ottomanes de 1516. Le caractère « urbain » du décor donne à Damas une attribution probable. Un tapis similaire apparaît dans *La Circoncision de l'Enfant Jésus*, peint en 1580 par Marco dall'Angolo (Venise, Gallerie dell'Accademia). On est donc tout à fait autorisé à assigner la création du décor vers le début du XVIe siècle, voire plus tôt, eu égard à son style « archaïsant », proche des tapis mamelouks. Par ailleurs, des tapis de facture semblable, mais présentant d'autres décors, ont été trouvés dans la Grande Mosquée de Divrigi ; ils auraient été légués par Sultan Sélim, au retour de sa campagne de Syrie. Ils élargissent le répertoire des tapis dits de « Damas ».

Quoi qu'il en soit, le tapis du musée Jacquemart-André par la qualité de ses teintes, l'élégance de son dessin encore indemne de sclérose, est probablement l'exemplaire le plus ancien et le plus remarquable de ce groupe peu nombreux.

R. G.

CHOUVAL (SAC) DE LA TRIBU DES SALOR

Asie centrale, début du XIXe siècle

149,9 x 91,4 cm

Londres, The Victoria and Albert Museum, inv. 394-1880

ANALYSE TECHNIQUE

- **Chaîne** : laine ivoire mêlée de brun, filée Z2S
- **Trame** : laine brune, filée Z2S, deux passées
- **Velours** : laine filée Z2 et soie filée Z2, nœuds asymétriques ouverts sur la gauche

BIBLIOGRAPHIE

- Pinner R. et Franses M., « The Turkoman Collection », *Hali*, vol. 2, n°4, 1980, p. 303 et 304.

Ce devant de grand sac à point noué (*chouval* en turcoman), déploie sur un champ rouge feu, trois grands médaillons étoilés à vingt-quatre pointes, construits à partir d'un octogone et scellés au cœur d'une petite croix ; d'autres médaillons de même contour s'amorcent en haut et en bas du champ. Entre ces grandes figures stellaires s'intercalent des damiers cruciformes. L'ensemble suggère une construction continue de figures disposées en quinconce. La mince bordure d'encadrement propose un enchaînement de motifs « kotchanak ». Le panneau inférieur, hors du cadre (la jupe), est orné d'une série d'arbrisseaux.

Ce *chouval* orné des ces trois « güls planétaires » – celui du centre comportant un pourtour en soie cramoisie et bleu roi – s'inscrit parmi les œuvres les plus fameuses attribuées à la tribu turcomane des Salor. La pureté de son dessin, la mise en page souveraine de son décor exemplifient cette « écriture stellaire » du tapis à point noué, capable de suggérer un infini sur une surface de faible dimension. Le même caractère de noblesse et d'équilibre se relève sur le grand « gül » qui orne leur tapis de sol, mais sans atteindre cette splendeur. La tribu des Salor, la plus prestigieuse des tribus turcomanes d'Asie centrale avait en partie émigré en Anatolie sur les pas des Ottomans. Et il est vrai que certains tapis turcs anatoliens de la fin du XVe siècle, de type « Holbein » comme ceux conservés au musée d'Art turc et islamique d'Istanbul, présentent des médaillons plus ou moins apparentés avec ceux des Salor. Cette science innée de la composition, autrefois pratiquée par des femmes œuvrant sur des métiers horizontaux installés aux abords de la yourte, reste une des plus belles énigmes de l'histoire du tapis. Ce grand « goût » demeurera inchangé jusqu'au milieu du XIXe siècle. Parmi les *chouval* Salor subsistants – qui sont assez nombreux – signalons celui conservé au Textile Museum de Washington, d'un dessin très proche.

R. G

DÉCORATION DE CHAMEAU DE TYPE *KEJEBE*

Asie centrale, tribu des Salor, début du XIXe siècle

200 x 76,5 cm

Londres, The Victoria and Albert Museum, inv. 143-1884

ANALYSE TECHNIQUE

- **Chaîne** : laine, filée Z2S
- **Trame** : laine, filée Z2S
- **Velours** : laine et soie, filées Z2, nœuds persans, ouverts sur la gauche, 2528 nœuds/dm^2

BIBLIOGRAPHIE

- Pinner R. et Franses M., « The Turkoman Collection », *Hali*, vol. 2, n°4, 1980, p. 303 et 304.

Tissé en bande allongée, cet ornement de chameau à fond rouge est composé d'un registre médian juxtaposant deux grands « güls » hexagonaux à des médaillons losangés plus réduits. Le cœur des deux « güls » principaux est meublé d'une petite rouelle de type « Holbein ». Entre ces motifs médians s'avancent des petites niches en arc brisé, contenant chacune une curieuse figure anthropomorphique. La bordure d'encadrement enchaîne des petits motifs « kotchanak » que viennent prolonger des séries de losanges disposés en pavement.

Il n'est pas toujours facile de distinguer cette bande ornementale destinée à la parure du chameau, des devants de sacs à point noué, de format long et étroit, qu'on appelle des *torba*, dont la partie arrière, en armure-toile, est souvent supprimée. Quoi qu'il en soit, ces décorations très soigneusement exécutées par les jeunes femmes turcomanes faisaient partie de leur trousseau de mariage et entraient dans le riche attirail qui composait le cérémonial des noces. Il est d'ailleurs possible que les petites niches « kejebe » garnies d'une figure anthropomorphique ne soient pas autre chose que le palanquin dans lequel s'abritait la future épouse quand on la conduisait à la demeure de son mari. Bien que des ornements de type « kejebe » se retrouvent dans d'autres tribus turcomanes, notamment chez les Saryk et les Tekke, cette association de grands « güls » hexagonaux et de médaillons losangés plus réduits ne se rencontre que chez les Salor.

R. G

FRAGMENT DE TAPIS MAMELOUK

Égypte, Le Caire, xve siècle

218 x 153 cm

Londres, The Victoria and Albert Museum, inv. 150-1908

ANALYSE TECHNIQUE

- **Chaîne** : laine ivoire, filée Z4S
- **Trame** : laine rouge, deux passées, même tension
- **Velours** : laine, filée S3, nœuds persans ouverts sur la gauche, densité 1600 nœuds/dm^{2}

BIBLIOGRAPHIE

- Pinner R., Franses M., « The East Mediterranean Carpets Collection », *Hali*, vol. 4, n° 1, 1981, p. 38 et 42.

EXPOSITION :

- King D., Sylvester D. (éd.), *The Eastern Carpet in the Western World, from the 15th to the 17th Century, Hayward Gallery,* Londres, 1983, n° 17, p. 59.

Ce fragment constitue l'angle inférieur droit d'un tapis trois fois plus grand, mesurant probablement quelque six mètres de long sur trois de large et dont le décor devait comprendre trois grands caissons principaux. Sur notre fragment, le médaillon octogonal, posé au centre, est entouré de menus éléments végétaux radiants se détachant sur un fond rouge brique, laissé sans ornement. Au delà de cette zone, la composition est réinsérée dans un environnement de carreaux étoilés, puis dans un encadrement d'écoinçons meublés de polygones. Deux bordures principales, l'une timbrée de petits médaillons garnis d'entrelacs, l'autre, la plus extérieure, à enchaînements de nœuds coufiques, encadrent le champ.

La pièce est considérée comme le plus ancien fragment de tapis mamelouk connu à ce jour et devrait dater de la seconde moitié du xve siècle. Bien des traits signalent son ancienneté et la rattachent curieusement aux tapis de cour anatoliens conçus à la même époque. On notera la zone sans ornement qui environne l'orbe du centre, les figures d'entrelacs de type « Holbein », la bordure en écriture pseudo-coufique, le bandeau fleuronné parallèle à la bordure, l'absence de papyrus silhouettés. Il s'agit d'une composition antérieure à celle des décors mamelouks classiques et qui n'a pas encore atteint sa plénitude. Par ailleurs, le fragment présente dans son répertoire ornemental (cyprès et candélabres), comme dans sa facture (laine filée en torsion S et utilisation de la laque indienne pour la couleur rouge), des signatures typiquement égyptiennes.

R. G.

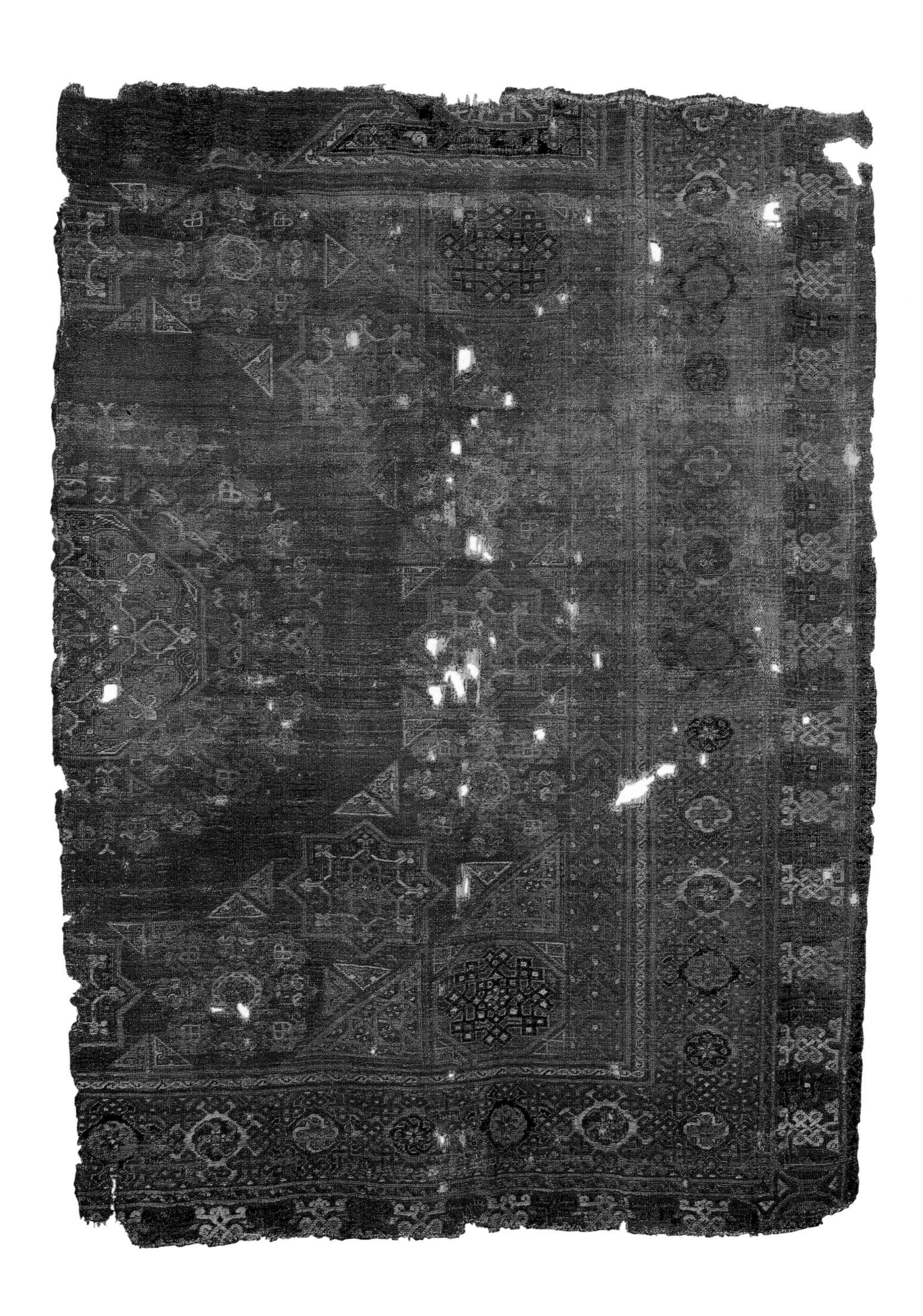

13

FRAGMENT DE TAPIS MAMELOUK

Seconde moitié du xve siècle

306 x 220 cm

Ham, The Keir Collection, inv. 31

ANALYSE TECHNIQUE

- **Chaîne** : laine jaunâtre, filée S3Z
- **Trame** : laine jaune, filée S2Z, trois passées, la première et la troisième tendues, la médiane plus lâche
- **Velours** : nœuds persans, ouverts sur la gauche

BIBLIOGRAPHIE

- King D., Sylvester D. (éd.), *The Eastern Carpet in the Western World, from the 15th to the 17th Century*, Londres, 1983, n° 21 et p. 59.
- Kühnel E., Bellinger L., *Cairene Rugs and Others Technically Related, 15th Century to 17th Century* , The Textile Museum, Washington D.C., 1957.
- Lamm C. J., *Carpet fragments: the Marby rug and some fragments of carpets found in Egypt*, Stockholm, 1985, n°18-19.
- Sarre F., « Die ägyptische Herkunft der sogen. Damaskus-Teppiche », *Zeitschrift für bildende Kunst*, vol. 32, 1921, p.75-82.
- Spuhler F., *Islamic Carpets and Textiles in the Keir Collection*, Londres, 1978, n°31.
- Suriano C., « A Mamluk landscape – Carpet Weaving in Egypt and Syria under Sultan Quaitbay », *Hali*, n°134, 2004, p.97-105.

Bien que ce fragment représente moins de la moitié du tapis, il est aisé d'imaginer ce qu'a été son décor d'origine, composé d'un grand médaillon central à contour polylobé inséré entre deux médaillons octogonaux qu'entouraient des myriades d'étoiles et de polygones. L'axe longitudinal des grandes figures centrales est renforcé dans les angles par de solides écoinçons où vient s'appuyer la construction en kaléidoscope du champ, tout en ménageant une transition avec la bordure. Celle-ci est parée d'un enchaînement de cartouches de rondeaux à contour sinueux. Mis à part le thème de bordure, le décor du champ est étroitement apparenté au seul tapis mamelouk en soie qui nous soit parvenu, celui conservé à Vienne, même si, sur cette pièce fameuse, les écoinçons sont remplacés par des panneaux rectangulaires.

Les tapis mamelouks constituent une véritable énigme dans l'histoire de l'artisanat du tapis. Ils se distinguent non seulement par leur structure : laines filées en torsion S et retordues en torsion Z, mais aussi par l'emploi du nœud persan (nœud asymétrique) à la place du nœud turc. Le rouge lie de vin qui domine leur palette est tiré de la laque, un insecte à sécrétion carminée importé des Indes, et non pas de la racine de garance. Cette particularité a été souvent mentionnée comme preuve de leur lieu de fabrication qui, lui-même, a été le sujet de disputes constantes entre les spécialistes. Rappelons à ce propos que ces tapis furent d'abord baptisés « tapis de Damas » parce que cette origine figurait à plusieurs reprises dans les archives vénitiennes du xve siècle. Ce n'est qu'au début du xxe siècle que l'historien d'art Friedrich Sarre suggéra que le nom de Damas n'était qu'un terme générique renvoyant à la place marchande (la ville était un

centre d'échanges très actif), et non pas au lieu de production. En s'appuyant sur des comparaisons stylistiques avec d'autres supports, tels que les mosaïques de pavement et les reliures mameloukes du XVe siècle, il attribua leur origine au Caire. Cette thèse a été étayée par la découverte, en 1982, au palais Pitti de Florence, d'une pièce en parfait état de conservation et qu'un inventaire du XVIe siècle, établi sous les Médicis, mentionnait comme « Tappetto Cairino ». Mais plus récemment, les similitudes indiscutables qu'on a relevées entre les petits motifs de bordure de certains tapis mamelouks et les décors de tapis anatoliens amènent à supposer l'existence d'un centre de production syrien parallèle aux manufactures du Caire. Il est intéressant de noter qu'en dehors de deux fragments actuellement conservés au Musée national de Stockholm – fragments ayant des structures apparentées avec nos tapis, mais des compositions décoratives sans grand rapport – les fosses à rebuts de Fostat (Vieux Caire) n'ont livré aucun vestige prouvant l'usage des tapis mamelouks sur ce qui était un de leurs lieux de production.
Selon toute probabilité, les tapis mamelouks étaient destinés à l'exportation et fabriqués dans des ateliers travaillant exclusivement pour le bénéfice des dirigeants. C'est en tout cas ce que semblent indiquer le tapis en soie de Vienne, miraculeusement conservé, ainsi que la figuration, sur certaines pièces, du blason des dignitaires mamelouks[1]. Le format des tapis mamelouks, souvent très grand – la pièce de la Keir Collection devait mesurer plus de six mètres de long sur trois et demi de large –, atteste une production « industrielle » hautement organisée. Même si les documents d'archives n'ont livré aucune preuve convaincante, on pense qu'afin d'alimenter le Trésor, le sultan Qaitbay (1468-1495) avait fondé une manufacture de tapis, en faisant peut-être venir des tisserands d'Iran, ce qui expliquerait

l'emploi du nœud asymétrique. L'organisation de la composition autour d'un médaillon central, plutôt que l'utilisation d'un décor de type continu, serait d'influence persane. Le thème de bordure en cartouches et rondeaux, comme celui que l'on relève sur l'exemplaire de la Keir Collection, est également caractéristique des tapis persans des XVe - XVIe siècles. La relative uniformité de la composition décorative qui marque tous les tapis mamelouks et qui s'enracine dans des traditions ornementales égyptiennes, pourrait confirmer le rôle de Qaitbay, dans la mesure où ces traits se relèvent sur d'autres projets artistiques réalisés sous son patronage. Quoi qu'il en soit, la stabilité du décor met en évidence le caractère réglementé de la production. Ce point est confirmé par le tapis mamelouk des Médicis mentionné plus haut, entré en possession du grand-duc Cosme entre 1557 et 1571. Étant donné l'état exceptionnel de la pièce, il est peu vraisemblable qu'elle ait beaucoup servi antérieurement à cette date (sinon pas du tout), ce qui place sa réalisation vers le milieu du XVIe siècle. Cela prouverait que le décor n'avait pas cessé d'être édité après la conquête de l'Égypte par les Turcs en 1517. Toutefois, il semble que la situation change un peu plus tard, lorsque les décors de cour ottomans se substituent aux décors mamelouks « classiques ». Si l'exemplaire de la Keir Collection partage avec « le Médicis » le même type de bordure, sa parenté stylistique avec le tapis en soie de Vienne permet de le considérer comme une œuvre précoce au sein de la production des tapis mamelouks.

R. de U.

1 Le tapis Barbieri à blason du Metropolitan Museum de New York et le fragment conservé au musée Bardini de Florence.

TAPIS À GRANDS CAISSONS

Turquie, Anatolie de l'Ouest, fin du xve siècle

118 x 132 cm

Sion, Musée cantonal de Valère

ANALYSE TECHNIQUE

- **Chaîne** : laine blanche écrue, filée Z2S
- **Trame** : laine rouge, filée Z, deux passées.
- **Velours** : laine, filée Z2, nœuds turcs, 780 nœuds/dm²

BIBLIOGRAPHIE

- Dall'Oglio M. et C., « A Discovery at Sion», *Hali,* n° 27, juillet-septembre 1985, p. 36-39.
- Mills J., *Carpets in Paintings,* Londres, 1983.

Le champ rouge feu est divisé en deux compartiments quadrangulaires contenant chacun une ample figure octogonale, encadrée d'écoinçons nettement séparés. Les figures octogonales, à contour fleurdelisé, contiennent huit rayons fleuronnés, bleus et verts, se rattachant à un axe étoilé. Les compartiments sont constitués d'une large bande à fond bleu pâle, parsemé de motifs en hélice. La bordure d'encadrement, à fond rouge, déroule un enchaînement de maillons blancs.

La pièce est fragmentaire ; elle devait compter à l'origine un troisième caisson, placé au-dessus des deux autres. On connaît des versions plus anciennes et plus magistrales encore représentées par deux exemplaires du musée Türk ve Islam Eserleri d'Istanbul et un exemplaire du musée d'Art islamique de Berlin, dans lesquels les bordures sont ornées de lettres coufiques, et les grands caissons du champ sont entourés de médaillons octogonaux plus réduits. Quoi qu'il en soit, l'écriture, très vigoureuse, illustre à merveille ce sens de la composition architecturée si caractéristique de l'Anatolie. Chaque partie, séparée de la suivante, sauvegarde un fond toujours lisible. Par la grâce de cette écriture, chaque grande roue, dont le dessin, à l'initiale, s'inspire probablement d'un plan de lanternon ou de coupole sur assise carrée, se transforme en un « gül » turcoman gouvernant son Ciel avec une majesté planétaire.

Cette version de type « grand Holbein », évoque, mais sans les imiter dans le détail – car les bordures sont différentes – les tapis représentés par le Maître de Saint-Gilles, vers 1500 et plus tard, par Hans Holbein le Jeune dans son tableau des *Ambassadeurs* (1533). À propos de cette œuvre très célèbre, représentant Jean de Dinteville, seigneur de Polisy et Georges de Selves, évêque de Lavaur, tous deux amateurs de sciences, on remarquera la rencontre entre le tapis qui recouvre la table, à décoration abstraite et géométrique, et les instruments astronomiques qui y sont posés et qui ont été construits par l'ami du peintre, Nicolas Kratzer.

R. G.

TAPIS « HOLBEIN »

Turquie occidentale, début du XVIe siècle

162 x 122 cm

Berlin, Museum für Islamische Kunst, inv. KGM 1883, 522,

achat du Kunstgewerbemuseum, 1883

ANALYSE TECHNIQUE

- **Chaîne** : laine blanche, filée Z2S
- **Trame** : laine blanche, filée Z2S
- **Velours** : laine, nœuds symétriques, 567 nœuds/dm²

BIBLIOGRAPHIE

- Enderlein V., *Ein kleinasiatischer Teppich aus der Zeit um 1500*, Fuß, 1967, p.7 *sq.*, ill. 1.

Ce tapis de taille moyenne appartient au groupe des « Holbein à grands motifs », groupe qui est représenté, au Museum für Islamische Kunst, par un exemplaire particulièrement imposant (cf. Spuhler F. 1987, n° 4). Notre pièce, qui adopte le format d'un tapis de prière, *sajjada*, a dû réduire son vocabulaire ornemental par rapport au paradigme berlinois qui se déploie sur une longueur de 4,30 m. Cette simplification du décor ne doit cependant pas être interprétée comme une variante « tardive ». Nous y découvrons tout d'abord deux octogones différents. Le médaillon 1 (celui du bas) est identique au médaillon 3, (celui du haut) ; le médaillon médian, par contre, est doté d'un bandeau de pourtour qui lui est spécifique. Les octogones, légèrement barlongs, sont placés à l'intérieur de caissons à fond rouge dont les ornements d'angle, à dessin très simple, sont dérivés des riches écoinçons à entrelacs. Le contour des octogones présente des esquisses de fleurons ou de crénelures.

Le champ, là où il n'est pas occupé par les caissons rouges, est de couleur vert bronze. Ce fond vert bronze qui fait cadre, est parcouru d'un feston portant des fleurs symétriquement disposées et des petits calices sur ses parties diagonales.

Dans la bordure, on distingue encore le thème traditionnel en écriture coufique.

F. S.

16

TAPIS « HOLBEIN »

Turquie occidentale, XVIe siècle

188 x 124 cm

Berlin, Museum für Islamische Kunst, inv. 79,110,

achat du Kunstgewerbemuseum, 1879

ANALYSE TECHNIQUE

- **Chaîne** : laine blanche, filée Z2S
- **Trame** : laine rouge, filée Z2
- **Velours** : laine, nœuds symétriques, 567 nœuds/dm²

BIBLIOGRAPHIE

- Enderlein V., *Ein kleinasiatischer Teppich aus der Zeit um 1500*, Fuß, 1967, p.7 sq., ill. 1.

Ce tapis de taille moyenne de type « Holbein à grands motifs » adopte le format d'un tapis de prière (*sajjada*). Il se compose de deux médaillons octogonaux identiques. Le bandeau de pourtour du médaillon médian porte au contraire un ornement différent. Comme dans le précédent exemplaire également conservé au musée de Berlin (cat.15), les octogones de forme barlongue s'inscrivent dans des caissons à fond rouge ornés aux angles. Un feston identique parcourt le champ de couleur vert bronze.

Le thème ornemental de la bordure a été particulièrement étudié par Volkmar Enderlein. On est tenté de le décrire comme une suite de cœurs rouges cernés de blanc. Enderlein démontre d'une façon convaincante qu'il s'agit en fait d'un demi-médaillon cruciforme à branches lancéolées, représenté tantôt sur sa moitié droite, tantôt sur sa moitié gauche. À peu de chose près, ce motif de bordure se retrouve sur un autre exemplaire du Museum für Islamische Kunst (inv. 88,29), tapis qui fait d'ailleurs l'objet de l'article de Enderlein. Au sujet de cette pièce, nous sommes d'accord avec la datation proposée, qui la situe vers 1500 ; mais cette similitude ne suffit pas pour faire remonter le tapis présent n° 2 au-delà du XVIe siècle.

F. S.

TAPIS DE PRIÈRE À DÉCOR FUNÉRAIRE

Anatolie de l'Ouest, Ouchak, début du XVIe siècle

156 x 103 cm

Paris, musée des Arts décoratifs, inv. 10423,

don Jules Maciet, octobre 1902

Sur un champ rouge feu se détache un mihrab linéaire dont l'arc à degrés est ponctué de petits boutons. Une forme en V, imitant des cornes ou un croissant, termine sa pointe. Le même détail se retrouve sur l'inclusion alvéolée qui s'ouvre à la base de la niche. Au centre du champ se déploie un médaillon hexagonal jaune doré évoquant la Lumière créatrice, telle qu'elle est mentionnée dans la sourate XXIV du Coran. De l'arête de la niche tombe un petit bouquet-luminaire composé de menues branches. La bordure d'encadrement, à fond bleu nuit, est scandée par une frise de nuages chinois, jaune doré, entre lesquels s'intercalent des rosettes rouges et des nœuds coufiques. En bas, deux traits rouges séparent les parties verticales et horizontales du thème de bordure.

La pièce a été fabriquée à Ouchak, comme l'indiquent sa facture et ses couleurs où dominent le rouge tomate et le bleu sombre. Elle appartient au groupe dit des « Bellini », par suite d'un tableau de Giovanni Bellini : *Le Doge Leonardo Loredan et quatre conseillers,* peint en 1507, où figure un tapis à décor similaire. Toutefois, son thème de bordure en nuages chinois (et non pas en écriture pseudo-coufique), ainsi que le rendu très linéaire de son mihrab marquent une certaine évolution du décor par rapport à d'autres pièces d'un aspect plus hiératique, comme celle, par exemple, conservée au musée d'Art islamique de Berlin.

Quoi qu'il en soit, la pièce est emprunte d'une grande majesté. C'est d'ailleurs ce caractère de dignité qui amène à penser qu'il s'agit d'un tapis funéraire, comme ceux que l'on plaçait sur les tombeaux ou que l'on commanditait en mémoire d'un défunt. On sait l'importance de ces coutumes chez les Turcs ottomans. Dans cette hypothèse, l'inclusion alvéolée au bas du champ serait la figuration en plan d'une allée menant à un turbé, tous deux indiqués sur une échelle plus réduite. Le décor doit se déchiffrer à la manière d'une miniature où les parties en aplat se juxtaposent aux parties traitées en élévation. La niche, la lampe, le médaillon central ont été conçus comme des éléments verticaux qui tombent en aplomb sur le plan de l'alvéole figuré à la base et qui est le lieu du tombeau. Cette inclusion alvéolée donne la clef de toute la structure.

R. G.

ANALYSE TECHNIQUE

- **Chaîne** : laine beige, filée Z2S
- **Trame** : laine rougeâtre, filée Z2, deux passées, l'une très légèrement plus tendue que l'autre
- **Velours** : laine, nœuds turcs, 1600 nœuds/dm²

Lisières de chaîne refaites, lisières de trame absentes, nombreuses réparations

EXPOSITION

- *Le tapis, Art traditionnel et fonctionnel,* Centre culturel de Boulogne-Billancourt, 1982, n° 17.
- *Tapis, Présent de l'Orient à l'Occident,* Institut du monde arabe, Paris, 1989.

BIBLIOGRAPHIE

- Bode W. von, Kühnel E., *Antique Rugs from the Near East*, Ithaca, New York, 1984, p. 49, n° 46.
- Mills J., *Carpets in Paintings*, Londres, 1983, n° 46.

TAPIS DE PRIÈRE DE TYPE « BELLINI »

Turquie, Anatolie occidentale ou centrale, XVIe ou XVIIe siècle

119,4 x 152,4 cm

New York, The Metropolitan Museum of Art, The James F. Ballard Collection, don de James F. Ballard, 1922, inv. 22.100.114

On retrouve dans ce tapis de prière la plupart des éléments entrant dans la composition de l'autre tapis « Bellini » du Metropolitan Museum (cat. 19). Toutefois, dans cet exemplaire, le médaillon central n'est pas un thème radiant, mais une sorte de losange à contour polylobé très sec, comme ceux que l'on trouve, sous une forme approchante, dans les tapis d'Ouchak ; la lampe de mosquée est répétée ailleurs quatre fois : deux figurent dans l'arcature et deux dans les écoinçons ; enfin, le motif « en trou de serrure » dessiné à la base, est beaucoup plus développé. Au-dessus du motif en « trou de serrure », ont été insérés deux grands triangles rectangles qui amènent visuellement la division du champ. Ces motifs, connus aussi dans d'autres tapis que les tapis de prière, sont garnis de feuillages rigides et stylisés. L'affaiblissement du dessin, le tassement des formes et la sévère compression du thème de bordure indiquent une date d'exécution plus tardive que celle de l'autre « Bellini ». Ces différences, qui portent à la fois sur le décor, le tracé des motifs, les couleurs et les caractéristiques techniques, suggèrent des lieux de productions différents.

D. W.

ANALYSE TECHNIQUE

- **Chaîne** : laine blanche, filée Z2S
- **Trame** : laine rougeâtre, deux passées
- **Velours** : laine, nœuds turcs (symétriques), 1116 nœuds/dm²

BIBLIOGRAPHIE

- Dimand M.S., Mailey J., *Oriental Rugs in The Metropolitan Museum of Art*, New York, 1973, n° 79, p. 223.
- Ettinghausen R. *et al.*, *Prayer Rugs*, Washington D. C., 1974, n° IX, p. 48-49 ;
- Mills J., « Carpets in Paintings : The "Bellini", "Keyhole" or "Re-entrant" Rugs », *Hali*, n° 58, août 1991, fig. 27, p. 86-103 ;
- Franses M., « The "Historical" Carpets from Anatolia », dans Kirchheim H. *et al.*, *Orient Stars : A Carpet Collection*, Stuttgart, Londres, 1993, n° 403, p. 277-283 et p. 379.

19

TAPIS DE PRIÈRE DE TYPE « BELLINI »

Turquie, Anatolie occidentale ou centrale, première moitié du XVIe siècle

106,7 x 175,3 cm

New York, The Metropolitan Museum of Art, The James F. Ballard Collection, don de James F. Ballard, 1922, inv. 22.100.109

ANALYSE TECHNIQUE

- **Chaîne** : laine blanche, filée Z2S
- **Trame** : laine rougeâtre, deux passées
- **Velours** : laine, nœuds turcs (symétriques), 2015 nœuds/dm²

EXPOSITION

- *Arte islámico del Museo Metropolitano de Arte de Nueva York*, Antiguo Colegio de San Ildefonso, Mexico, 1994-1995, p. 284-285.

BIBLIOGRAPHIE

- Zick J., « Eine Gruppe von Gebetsteppichen und ihre Datierung », *Berliner Museum, Berichte aus den Preussischen Kunstsammlungen*, n. s., 1961, p. 6-14.
- Dimand M.S. et Mailey J., *Oriental Rugs in The Metropolitan Museum of Art*, New York, 1973, n° 80, p. 224 ;
- Ettinghausen R. *et al.*, *Prayer Rugs*, Washington D. C., 1974, n° VIII, p. 46-47.
- Mills J., « Connoisseur's Choice : The Ballard Ushak Prayer Rug », *Hali*, n° 37, janvier-février 1988, p. 14-15.
- Mills J., « Carpets in Paintings: The "Bellini", "Keyhole" or "Re-entrant" Rugs », *Hali*, n° 58, août 1991, fig. 20, p. 86-103.
- Franses M., « The "Historical" Carpets from Anatolia », dans Kirchheim H. *et al.*, *Orient Stars : A Carpet Collection*, Stuttgart, Londres, 1993, n° 405, p. 277-283 et p. 379.

Ce tapis de prière anatolien appartient à un groupe particulier représenté par quelque dix-huit exemplaires. Ces tapis se distinguent par une niche s'encadrant à l'intérieur du champ – ici souligné par une ligne interne de contour – et dont le tracé s'arrête à la base pour dessiner une inclusion en forme de couloir à terminaison octogonale. C'est à cause de ce petit dessin que ces tapis de prière sont parfois appelés « à niche réentrante » ou « en trou de serrure ». Mais c'est sans doute sous le nom de tapis « Bellini » qu'ils sont le plus connus, puisqu'ils figurent tout à la fois dans une œuvre de Gentile Bellini, peinte après 1469, et dans un tableau de Giovanni Bellini, exécuté en 1507 et qui est probablement à l'origine de l'appellation. Le centre du champ est occupé par un médaillon décoratif. Au-dessus, un motif tombant de l'apex du mihrab, évoque une lampe de mosquée. L'inclusion en forme de trou de serrure, figurant à la base de la niche, représente probablement une fontaine à ablutions (pour une purification rituelle avant la prière), ici alimentée par un canal.

D. W.

20

TAPIS À DOUBLE NICHE ALVÉOLÉE

Turquie, Anatolie de l'Ouest, fin du XVIe - début du XVIIe siècle

227 x 128 cm

Sion, Musée cantonal de Valère

ANALYSE TECHNIQUE[3]

- **Chaîne** : laine blanche écrue, filée Z2S
- **Trame** : laine rouge, Z, deux passées
- **Velours** : laine, nœuds turcs, 812 nœuds/dm²

Lisières de trames en laine rouge
en partie conservées

BIBLIOGRAPHIE

- Dall'Oglio M. et C., « A Discovery at Sion », *Hali*, n°27, mai-juin 1985, p. 36-39.
- Mills J., *Carpets in Paintings*, Londres, 1983.
- Mills J., « The "Bellini", "Keyhole or Re-entrant Rugs" », *Hali*, n° 58, août, 1991, p. 86-103.

Le champ, à fond rouge, reçoit en son centre un médaillon étoilé inscrit dans l'encadrement de quatre minbars triangulaires. Une large bande hachurée épouse le contour du champ et forme à chaque extrémité une inclusion alvéolée tournée l'une vers l'autre. Ces niches réentrantes contiennent un octogone meublé d'une étoile radiante. La bordure d'encadrement, à fond brun, est animée d'une guirlande rouge brique portant des lotus et des calices blancs.

Ce tapis extraordinaire fait partie des cinq pièces turques longtemps reléguées dans l'église fortifiée de Valère, au-dessus de Sion (Valais) et qui ont été portées à la connaissance du public, il y a vingt-cinq ans. Dès l'année 1645, un registre de Valère signale l'existence de « tapetes quatuor turcici laboris ». On suppose que les tapis ont été donnés vers cette époque par des marchands savoyards ou du Bas-Valais désireux d'obtenir en retour le droit de bourgeoisie.[1] Le Vénérable Chapitre de la cathédrale de Sion, qui en est propriétaire, a bien voulu nous prêter trois d'entre eux.

Le décor s'inspire visiblement des tapis de prière funéraires. L'alvéole octogonal réentrant, ici deux fois répété, n'étant que le plan d'un turbé ou d'une koubba ; et la large bande à motifs hachurés qui l'entoure, reprend un dessin d'architecture. À l'intérieur de l'alvéole, la figure radiante symbolise le tombeau. Un beau tapis à inclusion alvéolée, conservé au musée de Topkapi Sérail (inv. 13/2043)[2], nous en livre la version primitive, avant transformation. Attribué au XVe siècle, cet exemplaire est d'un style très proche du nôtre. Dans notre pièce, la construction du décor s'est faite par « pliage », en reproduisant en miroir la partie inférieure d'un mihrab. On retrouvera plus tard ce procédé avec les tapis dits « transylvaniens ». C'est probablement pour écarter la signification religieuse de l'image et obtenir un tapis plus commercial que le maître d'œuvre a procédé ainsi. D'ailleurs, si cinq tapis de type « Bellini », à décor directionnel, apparaissent dès la fin du XVe siècle dans la peinture italienne, cette version à niche double n'apparaît dans les œuvres peintes qu'au siècle suivant.

R. G.

1 Vannotti F., « Les Tapis de Valère », *Art Turc*, Genève, 1999, p. 725. **2** Cf. Franses M. et Bennett I., « The Topkapi Prayer Rugs », *Hali*, n° 39, p. 26. **3** D'après l'analyse de M. et C. Dall Oglio *Hali*, n° 27, mai-juin 1985, p. 99.

TAPIS TURC À BASSIN TRIPARTITE

Anatolie centrale ou orientale, XVIIe siècle ou plus tard

197 x 158 cm

Paris, musée des Arts décoratifs, inv. 40323

ANALYSE TECHNIQUE

- **Chaîne** : laine blanche écrue, filée Z2S
- **Trame** : laine rougeâtre, filée Z2, deux passées, même tension
- **Velours** : laine, nœuds turcs, 1200 nœuds/dm²

Nombreuses restaurations

EXPOSITION

- *Tapis d'Orient du XVIe au XVIIIe*, musée des Arts décoratifs, Paris, 1995-1996, p.3, n°4.

BIBLIOGRAPHIE

- Balpinar B., Hirsch U., *Carpets*, of the Vakiflar Museum, Istanbul, 1988, p.213-219.
- Day S. *et al.*, *L'Art du tapis dans le monde*, Paris, 1996, p. 78.

Le champ à fond rouge brique est occupé par une sorte de bassin, composé de deux parties octogonales placées en antithèse qui viennent se rattacher à une partie centrale rectangulaire par le biais de deux canaux. Ce bassin bleu-vert laisse flotter sur sa surface plusieurs figures géométriques. Le champ rouge est lui-même parsemé de petits polygones. La grande bordure d'encadrement, à fond brunâtre, est parée d'une ligne blanche festonnée abritant dans ses méandres des pivoines et des tiges fleuronnées fortement stylisées, dérivées des tapis d'Ouchak (cat. 24). De cette composition singulière s'échappe un petit parfum « chamaniste ».

Le musée des Vakiflar d'Istanbul conserve quatre exemplaires assez semblables mais dont le dessin plus souple et plus élaboré indique une date d'exécution antérieure. Ces spécimens attribuables au XIVe siècle ont été collectés dans la Grande Mosquée de Divrigi et appartiennent à l'Anatolie de l'Est. Le concept est donc ancien. Il paraît résulter de la transformation d'un décor d'architecture représentant ces koubbas funéraires fortement silhouettées, comportant à leur base une inclusion alvéolée (*keyhole*), et dont la figuration se confond avec celle des niches de prière. Le rare tapis du Musée cantonal de Valère (cat. 20) illustre l'étape intermédiaire de cette mutation. Elle est probablement destinée à retirer tout caractère funèbre au décor. Dans cette perspective, les deux triangles placés à la base du champ sont des «souvenirs» de minbars. Avant d'écarter cette hypothèse, il faut se rappeler qu'il est très difficile pour un tisserand d'inventer une image et qu'il aura toujours tendance à remployer, ou à recomposer les éléments d'un décor déjà existant.

Quoi qu'il en soit, l'image, ainsi transformée, prend un tout autre sens : elle devient une sorte de bassin d'eau ou de miroir-plan reflétant divers dessins de polygones – ces pures figures géométriques émanant des Puissances suprêmes et que Henri Corbin appelait si joliment le « Ciel des Invisibles ». Cet avicennisme latent fusionne ici avec d'anciennes croyances populaires. Les Turcs accordaient à l'eau un caractère de grande sacralité. C'est à l'eau des rivières et à l'eau des puits qu'ils confiaient leurs vœux ou criaient leur détresse, parce qu'elle avait vu « la face de Dieu »[1].

R. G.

1 Roux J.-P., « Dieu dans le *Kitab-I-Dede Korkut* », *Revue des Études islamiques*, XLIII/1, 1975, p.123-140.

22

TAPIS À DÉCOR DE BASSIN TRIPARTITE

Caucase, Chirvan, XIXe siècle

334 x 217 cm

Lisbonne, Museu Calouste Gulbenkian, inv. T. 93

ANALYSE TECHNIQUE

- **Chaîne** : laine beige claire et foncée filée Z2S
- **Trame** : deux passées de trame entre chaque rangée de nœuds
- **Velours** : laine, nœuds symétriques, 1200 nœuds/dm²
- **Couleurs** : bleu, blanc, rouge, turquoise, vert, jaune et violet

Entièrement en laine, ce tapis à la riche polychromie possède un champ à fond bleu parsemé de petites fleurs encadrées par une composition géométrique stylisée. Celle-ci comprend cinq compartiments identiques, de format rectangulaire, l'un d'entre eux étant plus petit. Au centre de ces compartiments, le long de l'axe longitudinal du tapis, se succèdent cinq figures octogonales identiques, aux couleurs alternées, l'un de ces polygones étant lui aussi de taille plus réduite ; tous sont meublés de motifs géométriques et de petites fleurs.

Ici et là on aperçoit les motifs en forme d'étoile caractéristiques de ce type de tapis, d'ailleurs évoqués par Calouste Gulbenkian, en 1891, dans ses commentaires sur les tapis du Caucase : « Dans le Chirvan, on fabrique des tapis à dessins variés, mais toujours illustrés d'étoiles sur fond bleu ou jaune[1] ». Ici, les couleurs dominantes sont, en dehors du bleu du champ, le rouge, le crème, le jaune et le violet.

Si l'on trouve, en Occident, une multitude d'ouvrages sur les tapis de Perse et de Turquie, ce n'est pas le cas pour ceux du Caucase. L'on peut donc considérer que Calouste Gulbenkian a joué un rôle pionnier en s'intéressant à cet artisanat, comme en témoignent ses écrits de jeunesse et la collection qu'il a réunie au cours de son existence.

Ce tapis Chirvan possède un velours ras comme souvent dans les plaines du Caucase, contrairement aux zones plus montagneuses, – Kazakhstan et Karabagh – où le velours est plus haut. La laine naturelle utilisée dans la chaîne et la trame de cette pièce, de couleur beige et châtain, est typique de cette région.

Calouste Gulbenkian a ainsi réuni, dans sa collection, non seulement des tapis magnifiques et rares de l'époque classique, surtout de la Perse safavide et de l'Inde moghole, mais aussi des modèles plus tardifs, notamment un ensemble d'une douzaine de tapis du Caucase, pour la plupart fabriqués au XIXe siècle, dont cet exemplaire est un superbe témoignage.

M. F. P. L.

1 Gulbenkian, 1891, p. 17.

TAPIS DE RABAT

Maroc, Rabat, début du XXe siècle

279 x 185 cm

Rabat, musée des Oudayas, inv. 47-348

ANALYSE TECHNIQUE

- **Chaîne** : laine grise, filée S2
- **Trame** : laine, différentes couleurs et nombre irrégulier de passées
- **Velours** : laine, nœuds turcs, 672 nœuds/dm²
- **Couleurs** : vert pâle, vert foncé, blanc, bleu pâle, bleu foncé, jaune, jaune foncé

BIBLIOGRAPHIE

- Khatibi A. et Amahan A., *Du signe à l'image*, Casablanca, 1995, p. 126-127.

Les tapis citadins du Maroc que nous connaissons, exécutés à Rabat ou à Médiouna (près de Casablanca), ne semblent pas antérieurs au XVIIIe siècle, pour les plus anciens d'entre eux. À cette date, ils reflètent une forte influence des tapis turcs d'Asie Mineure, comme les Ghiordès ou les Ladik. Mais il est fort possible que des ateliers urbains aient été créés au Maroc à une date antérieure, et qu'ils s'inspiraient alors des ouvrages de l'Espagne musulmane et de l'Égypte mamelouke. Un curieux fragment, décoré d'un blason mamelouk, conservé au Textile Museum de Washington, pourrait être le témoin de cette production maghrébine de la fin du Moyen Âge. Le tapis de Rabat que nous présentons semble recueillir ces héritages divers. Il est composé de champs multiples comme les anciens tapis d'Égypte, et son médaillon central en forme de bassin entouré d'azulejos, rappelle tout à la fois l'art de l'Asie Mineure et le jardin des Andalous.

Le champ rectangulaire, à dominante verte et jaune, est marqué en son centre d'un médaillon octogonal, appelé « arioucha » (tonnelle), meublé de figures à contour dentelé et bordé d'un ruban animé de fins chevrons. Il est environné par cinq bandes d'encadrement, dont la première est la plus large. L'influence des traditions berbères se relève à travers certains motifs géométriques : losanges, chevrons et croix ; l'Andalousie a peut-être légué ces carreaux scellés d'une étoile.

On remarquera dans la bordure principale, pavée d'azulejos, la présence d'une branche fleurie inscrite dans un rectangle à peu près vide. Elle apporte un charme inattendu à l'ensemble et vient renforcer, s'il en était besoin, l'idée d'un jardin clos orienté sur le bassin du centre, également suggérée par les tonalités verte et jaune des laines, assez rares dans les tapis de Rabat.

J. L.

24

FRAGMENT DE TAPIS À TREILLIS FLORAL ÉTOILÉ

Turquie, Anatolie de l'Ouest, Ouchak, XVIe siècle

208 x 103 cm

Sion, Musée cantonal de Valère

ANALYSE TECHNIQUE

- **Chaîne** : laine blanche écrue, filée Z2S
- **Trame** : rougeâtre ou rose, filée Z, deux passées
- **Velours** : laine, nœuds turcs, 1200 nœuds/dm^2

Lisières manquantes. Grande bordure manquante à droite du champ. Déchirures et usures

BIBLIOGRAPHIE

- Dall'Oglio M. et C., « A Discovery at Sion», *Hali*, n°27, juillet-septembre 1985, p.36-39.
- Vannoti F., « Les Tapis de Valère (Sion/Valais) », *Art Turc*, Fondation Max Van Berchem, Genève, 1999, p. 725-730.

Le champ, à fond bleu-noir, est entièrement recouvert de petites fleurs étoilées bleu roi, s'ouvrant sur un maillage à la fois quadrangulaire et losangé. De petites svastikas apparaissent à certaines intersections du réseau et le cœur de chaque fleur est ponctué de rouge. La grande bordure d'encadrement, ici incomplète, est ornée d'un feston blanc très sinueux qui la partage en deux moitiés ; l'une est à fond rouge, parée de minces fleurons bleu pâle, l'autre est à fond bleu, parée de pivoines rouges.

Ce fragment présente une décoration de champ très rare. Un exemplaire assez proche, mais à motifs plus géométriques, est conservé au Metropolitan Museum of Art de New York. En revanche, le thème de bordure, en méandres garnis de fleurs, se relève dans de nombreux tapis à grands motifs d'étoiles fabriqués à Ouchak. La technique de tissage et les teintures sont d'ailleurs caractéristiques de ce foyer de production.

Quoi qu'il en soit, le fin maillage étoilé du champ rejoint les plus anciens concepts décoratifs de l'Orient musulman. On peut le rapprocher de certains exemplaires trouvés dans les mosquées de Konya et de Beyshéhir, attribuables au XIIIe siècle, ou d'un curieux spécimen du XVe, de format presque carré, provenant de la mosquée de Divrigi. Les uns et les autres adoptent ces belles constructions continues en réseaux étoilés, traduites selon des formulations diverses. Ces décors, où les conceptions savantes de l'art islamique fusionnent avec les traditions populaires des Turcs, exemplifient cette écriture stellaire, sans commencement ni fin, flottant sur des fonds monochromes et qui est une des plus grandes réussites de l'art du tapis.

R. G.

25

TAPIS « LOTTO » À EFFET DE GRILLE

Turquie, Anatolie, région d'Ouchak (?), XVIe siècle

190 x 110 cm

Paris, musée Jacquemart-André, inv. 259

ANALYSE TECHNIQUE

- **Chaîne** : laine blanche, filée Z2S, très léger côtelé
- **Trame** : laine brun-rouge, filée Z1, deux passées
- **Velours** : laine, filée Z2, nœuds turcs, 1600 nœuds/dm^2

Lisières de chaîne abîmées ou manquantes

Lisières de trame : kilim en laine rouge à bande bleue, en partie présente

EXPOSITION

- *Tapis, Présent de l'Orient à l'Occident*, Institut du monde arabe, Paris, 1989, p 66-67.

Ces tapis à décor de grille jaune doré sur fond rouge, ont reçu le nom du peintre vénitien Lorenzo Lotto (1480-1556), qui les a reproduits deux fois dans ses œuvres, dans le *Sant'Antonino Elemosinario* (saint Antonin distribuant des aumônes), de l'église Santi Giovanni e Paolo, à Venise, exécuté en 1542, et dans le portait de la famille Dalla Torre, peint vers 1547 (Londres, National Gallery). Le décor, probablement conçu par les artistes du Sérail pour des tapis destinés au commerce, a pu être édité dès la fin du XVe siècle dans les ateliers d'Ouchak. Il appartient à ce style « intermédiaire » qui assure la transition entre le style géométrique et celui à médaillon central. La construction reprend sur un mode plus ouvert et plus proche du monde végétal, l'ancienne combinaison de rouelles fermées et de croix qui était celle des tapis « Holbein à petits motifs ». Depuis l'étude de C. G. Ellis, publiée en 1975, on a pris l'habitude de classer les « Lotto » en trois sous-groupes : les « Lotto de style anatolien » dont les palmettes sont percées d'ocelles bleu foncé et qui sont probablement fidèles au carton d'origine ; les « Lotto de style kilim » dont les éléments foliacés adoptent des contours en « dents de scie » ; enfin, les « Lotto de style orné » à dessin plus savant et dont les figures d'intervalles, par effet optique, forment des roues tangentes. C'est au second groupe qu'appartient l'exemplaire du musée Jacquemart-André. Il serait imprudent de préciser les dates d'apparition de ces trois styles : le Lotto de « style kilim » a pu apparaître très vite sur les métiers villageois dispersés autour d'Ouchak.

L'exemplaire du musée Jacquemart-André est d'un grand charme. Le décor de son champ ressemble à celui d'un tapis « Lotto » représenté par Vittore Carpaccio dans une *Vierge à l'Enfant* peinte pour la cathédrale de Capodistria (Koper), entre 1516 et 1523. Sa bordure en quatre-feuilles stylisées, rarement associée à ce type de décor, paraît démarquer un thème pseudo-coufique. La vivacité de son graphisme, la répartition aérée de ses éléments, la grâce de ses détails, le rangent parmi les plus anciens et les plus beaux tapis « Lotto de style kilim », connus à ce jour.

R. G.

26

TAPIS À POINTS NOUÉS
À FLEURONS RÉCIPROQUES

Anatolie centrale, XVIe siècle ou plus tôt ?

278 x 160 cm

Berlin, Museum für Islamische Kunst, inv. KGM 1887, 1110,

achat du Kunstgewerbemuseum, 1887, ancienne collection : Wilhelm von Bode

ANALYSE TECHNIQUE

- **Chaîne** : laine blanche, filée Z2S
- **Trame** : laine rouge, filée Z2
- **Velours** : laine, nœuds symétriques, 1720 nœuds/dm²

Dans une bande de 5 cm de large dans la partie inférieure du champ, on trouve des parties blanches exécutées en coton.

EXPOSITION

- Lefèvre et Partners, catalogue de vente aux enchères, Londres, 27 avril 1979, n° 22.

BIBLIOGRAPHIE

- *Hali*, vol. 4, n° 3, 1982, p.281, ill.1.
- Martin F.R., *A History of Oriental Carpets before 1800*, Vienne, 1908, fig. 203.
- Riefstahl R. M., « Primitive Rugs of the "Konya" Type in the Mosque of Beyshehir », *The Art Bulletin*,1931, vol. 13, 2 ill. 22 et *Hali*, vol. 4, n° 3, 1982, p. 281, ill. 1.
- Spuhler F., *Oriental Carpets in the Museum of Islamic Art, Berlin*, Washington D.C., 1987, n° 21.

Les tapis d'Ouchak, dans leurs nombreuses versions décoratives, arborent jusqu'aux XVIIIe et XIXe siècles une palette aisément identifiable. Cette pièce fait visiblement exception. Les bruns-rouges et les bleus moyens qui alternent sur le fond du champ sont plutôt inhabituels. L'orange foncé, adopté pour la grande bordure, est lui aussi assez rare, tout comme sa combinaison avec un aubergine foncé. De telles associations de couleurs se retrouvent plutôt dans la région de Konya. On ne connaît que deux autres fragments à composition similaire. Le premier, qui appartient au musée des Arts décoratifs de Paris (inv. 13597), est qualifié par Rudolf Meyer Riefstahl de : « probablement Ladik », sans doute à cause de ses couleurs particulières. Plus prudent, F.R. Martin penche pour une provenance « anatolienne centrale ». Cette attribution renvoie, entre autres, aux tapis de Konya où l'on trouve effectivement des coloris semblables entre le XVIe et le XVIIIe siècle. Le second exemplaire, vendu en 1979 par un marchand londonien, amène à penser que ce décor en fleurons réciproques était plus répandu qu'on ne le croyait, ainsi, d'ailleurs, que son thème de bordure dont on connaît de nombreuses variantes.

Le motif principal est comparable aux pendants en forme de cuspide ou d'écusson qui prolongent le médaillon central des tapis du nord-ouest de la Perse, édités au XVIe siècle. Exhaussés et rangés verticalement en opposition, ces thèmes fleuronnés prennent naissance sur les parties hautes d'une bande festonnée transversale. Le décor a été conçu de telle façon que le négatif corresponde au positif, ce qui donne à l'ensemble de la construction un aspect de créneaux et de merlons imbriqués. Le motif bleu clair et le fond rouge foncé proposent des formes identiques et interchangeables. Les deux systèmes sont meublés d'une guirlande en lignes brisées, portant des palmettes et des fleurs rigoureusement stylisées.

Dans son article qui s'intéressait aux tapis, pour la plupart seldjoukides, provenant de la mosquée Eshref Oglu de Beyshehir, Riefstahl signale des bas-reliefs et des miniatures du XVe siècle présentant des ornements semblables. C'est là sans doute l'origine de ce motif et une datation à partir de la fin du XVe siècle n'est pas à exclure. Convaincu par les arguments et l'étude comparative de ce spécialiste, nous voudrions reculer de près de deux cents ans l'estimation prudente que nous avions faite dans le catalogue de Berlin : XVIIe-XVIIIe siècle. Un examen au carbone 14 permettrait d'aboutir à un résultat fiable.

F. S.

27

TAPIS DE PRIÈRE À RANGÉE DE NICHES (SAF)

Turquie, Ouchak, XVIIe siècle

128 x 329 cm

Berlin, Museum für Islamische Kunst, inv. I.25/61,

acheté à la collection Bernheimer de Munich, 1961

ANALYSE TECHNIQUE

- **Chaîne** : laine blanche, filée Z2S
- **Trame** : laine rouge, filée Z2
- **Velours** : laine, nœuds symétriques, 1248 nœuds/dm²

BIBLIOGRAPHIE

- Spuhler F., *Oriental Carpets in the Museum of Islamic Art, Berlin*, Washington D.C., 1987, n° 18.

Il s'agit en fait du fragment inférieur gauche d'un tapis de prière à niches multiples de grand format ; il nous donne une idée de l'ampleur de ces tapis destinés à recouvrir le sol des mosquées. Sa sobriété lui confère un caractère éminemment décoratif. Des six niches à arcature brisée à fond rouge carmin qui se juxtaposent, celle de gauche n'est qu'à moitié figurée. De minces lignes verticales séparent les mihrabs entre eux et ce même souci de précision se relève dans la ligne de contour, de couleur verte, qui sépare les arcatures de leur fond bleu.

La bordure d'encadrement, fragmentaire, ne subsiste que sur trois côtés de la pièce et ne livre que la moitié du décor. Il est néanmoins évident qu'il s'agissait d'une construction réciproque de fleurons jaune doré et bleu foncé. La contre-bordure intérieure adopte le même motif sur une échelle réduite. Une photographie figurant dans les archives de Kurt Erdmann montre une autre partie du tapis avec six niches entières, plus deux demies. Autrefois déposé dans une collection particulière turque, on ignore ce que ce fragment est devenu.

Malgré la simplicité du décor, la palette et la technique de tissage sont suffisamment caractéristiques pour classer cette pièce dans le groupe des Ouchak.

F. S.

28

TAPIS DE PRIÈRE

Turkestan, Ersari-Beshir, XIXe siècle

130 x 100 cm

Lisbonne, Museu Calouste Gulbenkian, inv. T. 92

ANALYSE TECHNIQUE

- **Chaîne** : laine beige et marron filée Z2S
- **Trame** : laine rosée Z2S, trois passées de trame entre chaque rangée de nœuds
- **Velours** : laine, nœuds asymétriques ouverts sur la droite, 2000 nœuds/dm²
- **Couleurs** : bleu, blanc, rouge, vert, jaune, vert et marron

Ce petit tapis de prière provient d'Asie centrale. Production caractéristique de la tribu nomade des Ersari-Beshir, du Turkestan, il est décoré comme le sont habituellement les tapis de ce type. En effet, le motif de la double niche est la marque des tapis de prière des Ersari, tout comme l'utilisation abondante d'une laine de couleur ivoire, présente ici surtout en fond de la niche extérieure ; celle-ci est elle-même divisée en deux bandes ornées, comme souvent, par une belle composition de grenades et de ramages. Un rouge, un jaune, un vert, un marron et un bleu complètent l'ensemble. La niche intérieure, à fond bleu, est elle aussi divisée, mais cette fois en trois bandes, décorées de fleurs stylisées.

La bordure principale est composée d'une frise de motifs stylisés placés dans une composition géométrique en forme de ruban. Dans les angles supérieurs du champ on distingue deux inscriptions dans des cartouches rectangulaires : à gauche *'amal Abd'el. Qâ* et à droite *'amal medâdj.n.* « travail de ... ».

Au-dessus de la niche extérieure, on remarque un motif géométrique propre aux Ersari, dérivé lui aussi des grenades.

Les tapis de ce type sont aujourd'hui très appréciés des collectionneurs ; comme peu d'exemplaires subsistent, cela accroît l'intérêt qu'ils suscitent. Parmi les nomades de la tribu Ersari qui ont essaimé en Asie centrale, ceux qui vivaient dans la région de Boukhara, ancien centre de civilisation et de culture islamique, ont créé des tapis de prière assez originaux, qui se distinguent d'autres modèles turcomans, notamment par la double niche aux proportions caractéristiques et par l'emploi de la laine couleur ivoire. On dit que ce tapis serait un souvenir du grand-père de Calouste Gulbenkian. On comprendra aisément que, en dehors de sa qualité et de son originalité intrinsèques, cette pièce ait aussi été chargée d'une valeur sentimentale aux yeux de ce grand collectionneur.

M. F. P. L.

FRAGMENT D'UN OUCHAK À QUADRILOBES

Turquie, Anatolie de l'Ouest, Ouchak, fin du XVe siècle

229 x 168 cm

Londres, The Victoria and Albert Museum, inv. 278-1906

ANALYSE TECHNIQUE

- **Chaîne** : laine ivoire, filée Z2S
- **Trame** : laine rouge, filée Z, deux passées, très léger côtelé
- **Velours** : laine, filée Z2, nœuds turcs, 1296 nœuds/dm2

BIBLIOGRAPHIE

- Pinner R. et Franses M., « The "Classical" Carpets of the 15th to 17th Centuries », *Hali*, n° 24, vol. 6 n°4, 1984, p. 356 et 367.

EXPOSITION :

- King D. et Sylvester D. (éd.), *The Eastern Carpet in the Western World, from the 15th to the 17th century*, Londres, 1983, p. 72, n° 38.

La lecture de l'image est rendue difficile par suite d'un assemblage un peu hasardeux des morceaux qui constituent le fragment. Sur un fond rouge tomate se déploie un majestueux décor de type continu, composé de quadrilobes bleu foncé dont le centre octogonal, du même rouge que celui du champ, est timbré d'un double *r'Dorje* tibétain ; ces quadrilobes sont environnés à distance de losanges bleus, contenant des médaillons quadripartites. Entre ces grandes figures, reliées les unes aux autres par des attaches diagonales en nœuds coufiques, circule un élégant réseau de pivoines et de lotus jaunes, aux corolles délicatement silhouettées.
Ce fragment se range parmi les plus anciens tapis Ouchak conservés à ce jour. Sa composition qui évoque une soie *ikatée* d'Asie centrale, multiplie les références aux dynasties turco-mongoles du XIVe siècle, celle des Ilkhanides, héritière de Gengis Khan et celle fondée, plus tard, par Tamerlan (1370-1404), dont les représentants continuent à régner à Samarcande et à Herat à l'époque où ce tapis a été probablement exécuté. D'ailleurs, les médaillons quadrilobés apparaissent dans des enluminures timourides datant de 1435 et de 1485. C'est un peu comme si les sultans ottomans voulaient s'approprier les emblèmes de l'ancienne puissance de Timour et proclamer leur légitimité à gouverner l'ensemble du monde turc. Quoi qu'il en soit, ce décor précède la création des « Ouchaks à étoiles » et garde de nombreuses caractéristiques qui le rattachent encore au Moyen Âge : nœuds coufiques, excroissances en pointe de flèche, treillis linéaire renforçant la construction de type continu. Il s'agit probablement d'un des premiers grands décors composés par les artistes du Sérail pour les ateliers d'Ouchak, pendant le règne de Mehmet Fateh (1451-1481). Une vingtaine de pièces subsistantes, généralement en mauvais état, adoptent ce décor. Elles sont conservées, entre autres, à Berlin, New York, Philadelphie et Saint-Louis. Malgré les défauts de sa reconstitution, l'exemplaire du Victoria and Albert Museum est certainement le plus intéressant et le plus beau.

R. G

30

OUCHAK À ÉTOILE

Turquie, XVIe siècle

276 x 189 cm (bas :186 cm)

Berlin, Museum für Islamische Kunst, inv. KGM 1885, 981,

achat du Kunstgewerbemuseum, 1885

ANALYSE TECHNIQUE

- **Chaîne** : laine blanche, filée Z2S
- **Trame** : laine rouge, filée Z2
- **Velours** : laine rouge, filée Z2

BIBLIOGRAPHIE

- Spuhler F., *Oriental Carpets in the Museum of Islamic Art, Berlin*, Washington D.C., 1987, n° 10.

Ce fragment est à la fois fascinant par l'intensité de ses couleurs et la beauté de son décor. Il s'agit d'une version rare, proposant un alignement vertical de grandes étoiles à huit lobes. Et ce caractère d'exception est renforcé par l'emploi d'un fond bleu nuit sur lequel se détache un gracieux réseau de pivoines et de lotus construit en symétrie. Les étoiles adoptent un fond rouge scellé au centre d'une figure cruciforme bleu clair. Entre les grandes étoiles du centre s'intercalent des étoiles identiques sortant à demi des bords latéraux du champ. Le schéma de composition appartient donc à la catégorie des décors continus à rangées décalées.

Une élégante guirlande festonnée se déroule sur le fond rouge de la bordure, portant soit des rosettes curieusement prolongées de deux tiges chargées d'aiguilles, soit des palmettes jaunes, soit des corolles de lotus donnant naissance à deux autres fleurs. L'étroite contre-bordure intérieure à fond jaune est garnie d'une guirlande en cœurs et navettes ; la contre-bordure extérieure, à fond bleu sombre, plus large, est meublée d'une guirlande fleurie.

La précision du dessin, la vivacité des couleurs, la brillance veloutée des laines signalent que cette œuvre émane des meilleurs ateliers d'Ouchak.

F. S.

TAPIS « OUCHAK À ÉTOILES »

Turquie, Anatolie occidentale, XVIe siècle

221 x 426,7 cm

New York, The Metropolitan Museum of Art, don de Joseph V. McMullan, 1958, inv. 58.63. Ancienne collection Benguiat

Cette pièce représente un des plus beaux spécimens du classique « Ouchak à étoiles » dont il subsiste de nombreux exemplaires. La composition, de type continu, s'organise sur un pavement régulier d'étoiles à huit branches et de médaillons losangés plus réduits, s'enlevant sur un champ rouge feu. Les tapis de ce type, comme les tapis à médaillon, ont tout d'abord été produits à la demande de la cour dans la seconde moitié du XVe siècle. Le tapis McMullan appartient à une seconde phase de production qui prend place vers le milieu du XVIe siècle, au moment où le style *saz* – représenté ici par les palmettes sophistiquées qui parsèment le fond – devient à la mode. À cette époque, les « Ouchak à étoiles » devaient être exportés vers l'Europe en quantité relativement importante : ils font leur apparition dans la peinture dès 1534 et continuent à y figurer jusqu'au deuxième quart du XVIIe siècle. Les manufactures tisserandes de l'Occident les recopièrent à la fin du XVIe siècle, sinon plus tôt. La palette de couleurs est caractérisée par une prédominance de bleu et de rouge profonds, mais les exemplaires anciens, tel que celui-ci, se signalent par une gamme de teintes plus étendue, notamment pour le traitement des détails floraux. L'Ouchak McMullan fut acquis en 1925 à la vente Benguiat où il figurait sous le nom de tapis « hispano-mauresque ».

D. W.

ANALYSE TECHNIQUE

- **Chaîne** : laine blanche, filée Z2S
- **Trame** : laine rosâtre, filée Z, deux passées, l'une, légèrement plus tendue que l'autre
- **Velours** : laine, nœuds turcs (symétriques), 1116 nœuds/dm²

EXPOSITION

- *Islamic Carpets from the Joseph V. McMullan Collections*, Hayward Gallery, Londres, 1972.
- *The Arts of Islam, Masterpieces from The Metropolitan Museum of Art*, Museum für Islamische Kunst, Berlin, 1981, n° 116.

BIBLIOGRAPHIE

- *15th - 18th Century Rugs, the Private Collection of Messrs. Vitall & Leopold Benguiat*, catalogue de vente, American Art Association, 4 et 5 décembre 1925, n° 40.
- McMullan, J. V., *Islamic Carpets*, New York, 1965, n° 67, p. 230-231.
- Dimand, M.S. et Mailey J., *Oriental Rugs in The Metropolitan Museum of Art*, New York, 1973, n° 72, p. 221.
- Towner W., « The Pasha and the Magic Carpets, Part I », *Hali*, vol. II, n° 3, automne 1979, fig. 3, p. 185.

32

FRAGMENT DE TAPIS À RINCEAUX

Nord-ouest de la Perse, début du XVIe siècle

180 x 101 cm

Berlin, Museum für Islamische Kunst, inv. KGM 1889, 4,

achat du Kunstgewerbemuseum par F. Bock, Burtzscheid, 1889

ANALYSE TECHNIQUE

- **Chaîne** : coton, filé Z2S ou Z4S
- **Trame** : laine, filée Z2, deux passées, la première tendue, la seconde plus lâche
- **Velours** : laine, filée Z2, nœuds persans, 3500 nœuds/dm²

BIBLIOGRAPHIE

- König H., « Spoilt for Choice », *Hali*, 1993, n° 71, p. 98.

Julius Lessing a acheté en 1887 pour le Kunstgewerbemuseum ce fragment de tapis d'époque classique provenant de la Perse du nord-ouest. S'il ne reste plus rien de l'éventuel médaillon central, le quart du champ supérieur gauche a subsisté avec une partie de la bordure. Dans le champ, l'écoinçon brun foncé est marqué par une grande bande blanche bifide – (feuille ou nuage ?) – garnie à l'intérieur de sa fourche de rose-orangé. Ainsi que H. König l'a fait remarquer, son dessin ne s'accorde pas du tout à celui du champ, dont le fond blanc est recouvert d'une grille à rinceaux ordonnés. La ressemblance entre cette forme bifide et les banderoles de nuages exécutées par les ateliers de Bidjar au XIXe siècle est indéniable. Cela nous rend attentif au piège tendu par ces figures ambiguës, piège que nous tend également le thème de bordure à dessin complexe et difficile à décrypter. Mais revenons à la forme bifide développée à l'intérieur de l'écoinçon. Elle pourrait donner en la reconstruisant sur un axe cruciforme une sorte de médaillon central, en forme de quadrilobe ou de quatre-feuilles semblable à ceux qui apparaissent sur de nombreux Ouchak, notamment le bel exemplaire du musée des Arts décoratifs de Paris (inv. 10570). Dans les Ouchak à médaillon tardifs, la même corolle de fleur bleu ciel, traitée en palmette, timbre chacun des lobes ou des quatre-feuilles, même si elle adopte ici une forme plus stylisée.

Le champ blanc est recouvert d'une très belle grille rouge et bleu-noir composée de longues tiges verticales ponctuées çà et là de rosettes à partir desquelles partent des branches transversales à terminaisons fleuronnées qui donnent naissance à leur tour à des rinceaux symétriques. On retrouve sur certains points de la construction ces curieuses feuilles-nuages bifides. Les tiges verticales sont également scandées d'écussons rouges et de boutons.

À première vue, le thème de bordure, construit sur une alternance de fleurs en palmettes placées en opposition, paraît tout classique. Toutefois, la guirlande de fleurs sinueuse qui circule entre ces corolles semble bien confuse du fait de son extrême finesse et on n'y relève pas les grandes feuilles incurvées et bifides qui la rythment habituellement. Cette singularité d'écriture ne nous empêche pas de dater cette pièce du début du XVIe siècle.

Les contre-bordures extérieures et intérieures, l'une jaune, l'autre bleue, à gracieux entrelacs fleuris, forment un harmonieux contraste avec la bordure principale, comme avec la décoration du champ et des écoinçons. En se référant aux miniatures timourides du XVe siècle, serait-il possible de proposer une datation plus lointaine ? La réponse à cette question dépend d'un examen au carbone 14.

F. S.

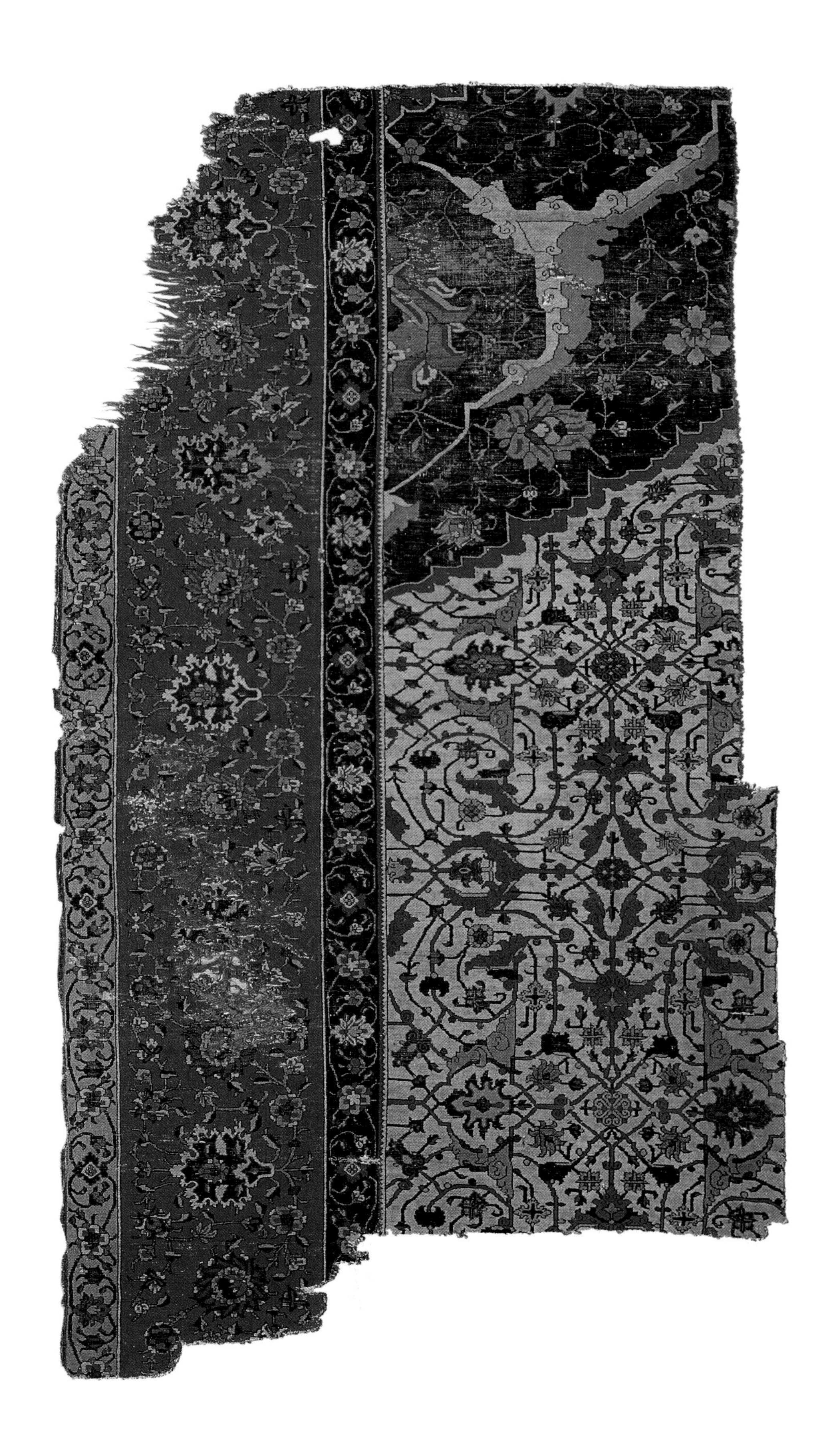

FRAGMENT D'UN TAPIS À CARTOUCHES

Perse, début du XVIe siècle

193 x 59 cm

Berlin, Museum für Islamische Kunst, inv. KGM 1898, 353,

achat du Kunstgewerbemuseum par F.R. Martin, 1898

ANALYSE TECHNIQUE

- **Chaîne** : coton blanc, filé Z4S
- **Trame** : soie blanche à jaunâtre, filage impossible à déterminer, trois passées
- **Velours** : laine, filée Z, nœuds persans asymétriques, nœuds *jufti* ici et là, 1224 nœuds/dm²

BIBLIOGRAPHIE

- Martin F.R., *A History of Oriental Carpets before 1800*, Vienne, 1908, p. 41, ill. 103.
- Spuhler F., *Oriental Carpets in the Museum of Islamic Art, Berlin*, Washington D.C., 1987, n° 75.

F. R. Martin possédait, semble-t-il, deux fragments de cet exceptionnel tapis. Il a publié le plus grand en 1908, en signalant qu'il l'avait acheté dix ans auparavant à Constantinople. Quant au plus petit, il l'a probablement offert au Kunstgewerbemuseum de Berlin immédiatement après l'avoir acquis, c'est-à-dire en 1898.

Le motif central de notre fragment est un cartouche à angles droits portant sur ses parties médianes quatre excroissances écussonnées. Il est meublé de forts rinceaux symétriques aux extrémités couronnées de fleurons et de feuilles bifides. Au-dessus et au-dessous du cartouche, figure un rondeau à huit lobes garni d'ornements en forme d'écu. Seul le rondeau à fond bleu clair, placé sous le cartouche, a subsisté dans son intégralité ; l'autre, à bordures verte et rouge, est à peine amorcé. Cette séquence décorative, composée de cartouche et de rondeaux alignés verticalement, se retrouve de part et d'autre décalée d'une demi-largeur. Ces figures d'intervalles adoptent des fonds diversement colorés. Si l'on veut compléter cette description en examinant le second fragment qui subsiste, on s'aperçoit que ces compartiments présentaient au moins sept couleurs de fond. Leur décor est composé de deux longues feuilles plumetées, recourbées en demi-cercle l'une sur l'autre et d'une demi-corolle en forme de palmette luxuriante. La couleur de ces végétaux varie avec celle du fond. Ces fragments qui comptent quelque dix-sept nuances se classent parmi les tapis safavides les plus riches en couleurs. Peu de pièces leur sont comparables sur le plan de l'harmonie et de l'étendue chromatique.

Les tapis à cartouches sont si fréquemment figurés dans les miniatures timourides du XVe siècle, qu'il est difficile de ne pas croire à l'existence de modèles antérieurs, datant de l'époque pré-safavide [1].

Nous n'avons pas de preuves permettant une datation aussi reculée. Situer ce fragment au début du XVIe siècle semble donc plus sûr. En revanche, son lieu de provenance est beaucoup plus problématique. Les teintures du nord-ouest de la Perse diffèrent grandement de celles utilisées dans la Perse orientale. D'après les couleurs, une origine du côté des ateliers de la Perse centrale, c'est-à-dire Kachan ou Isfahan, paraît probable et s'accorderait en outre avec les particularités techniques. Le sud du pays (Kirman) n'est pas non plus à exclure.

F. S.

1 Au sujet de la paire de tapis de Lyon et de New York, voir note 24 dans le texte de F. Spuhler, « Les collections occidentales, base de la recherche sur les tapis d'Orient ».

FRAGMENT D'UN TAPIS À MÉDAILLON CENTRAL

Nord-ouest de la Perse, milieu du XVIe siècle

222 x 218 cm

Berlin, Museum für Islamische Kunst, inv. I.32/60,

acheté par la maison L. Bernheimer, 1960.

Ce fragment a fait autrefois partie de la collection Weissgerber, Madrid

ANALYSE TECHNIQUE

- **Chaîne** : coton blanc, filé Z4S
- **Trame** : coton blanc, filé Z2 et plus rarement, laine brune, filée Z, deux passées, l'une tendue, l'autre plus lâche
- **Velours** : laine, filée Z, nœuds persans (asymétriques), 2914 nœuds/dm²

BIBLIOGRAPHIE

- Spuhler F., *Islamic Carpets and Textiles in the Keir Collection*, Londres, 1978, n° 44.
- Spuhler F.,*Oriental Carpets in the Museum of Islamic Art, Berlin*, Washington D.C., 1987, n° 77.
- Sarre F., Trenkwald H., *Alt-orientalische Teppiche*, 1 et 2, Vienne, 1926 et 1928, pl. 22-23.

Si nous multiplions mentalement ce fragment par deux, nous obtenons l'exemple type d'un tapis à médaillon central de l'époque safavide. Dans notre pièce, il ne manque que huit centimètres pour que nous ayons une moitié complète jusqu'à l'axe transversal du tapis. Le médaillon épousait la forme d'un cercle polylobé et occupait presque toute la largeur du champ. Sur son contour alternent lobes et pointes. Le rouge brique de son fond se retrouve dans le pendentif en écusson. Ce pendentif, entrecoupé d'un cartouche blanc, s'avance jusqu'au niveau des quadrants qui occupent les angles et présente, par son emplacement et ses proportions, un caractère d'harmonie avec toute la composition. Dans l'intervalle de ces grandes figures, un réseau treillissé, un peu sec, un peu irrégulier, porte des fleurs en étoiles et recouvre le fond bleu nuit.

Si la « sécheresse » de ce réseau fleuri constituait un cas isolé et si nous nous en tenions à une analyse purement stylistique, nous pourrions imputer l'abandon des élégants rinceaux curvilignes à une exécution tardive du décor. Mais puisque ce réseau est indéniablement apparenté à celui qui figure dans le tapis de chasse Poldi Pezzoli de Milan, daté de 1522, et sur un autre tapis à médaillon, très ancien, autrefois conservé à Berlin ainsi que sur un fragment sans médaillon qui était dans la collection Wulf, nous devons reconnaître que l'exécution de cette partie du décor nous en dit moins sur la date d'origine que ce que nous étions en droit d'attendre. Quant à savoir si cette caractéristique nous aidera un jour à différencier la production des ateliers d'une même région, c'est encore matière à spéculation.

L'ordonnancement très clair du thème de bordure est également un signe d'exécution précoce. Comme la moitié extérieure en est presque entièrement perdue sur les trois côtés qui nous restent, la composition exacte de son décor – à enchaînement de cartouches et de médaillons polylobés – n'est pas aisée à reconstituer.

À partir du milieu du XVIe siècle, Tabriz n'est plus la résidence des souverains ; mais cela ne signifie pas pour autant l'arrêt de la production de ses ateliers. Il est probable que la fabrication des tapis s'y soit poursuivie pendant tout le règne des Safavides.

F. S.

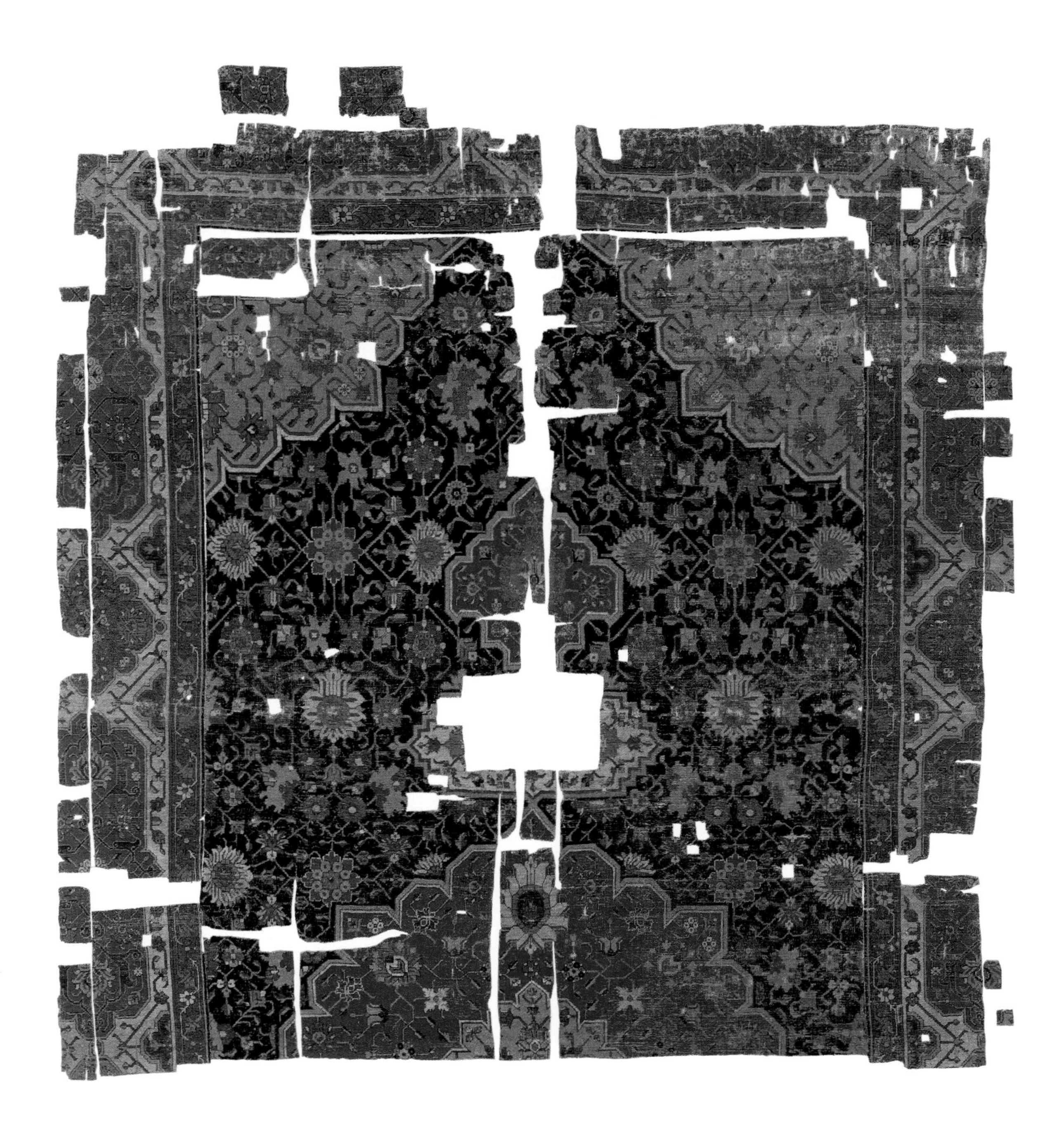

TAPIS À MÉDAILLON PROTO-SAFAVIDE

Perse, Tabriz (?), fin du xve ou début du xvie siècle

610 x 250 cm

Paris, musée des Arts décoratifs, inv. 11626

ANALYSE TECHNIQUE

- **Chaîne** : coton blanc écru, filé Z2S
- **Trame** : laine rougeâtre, filée Z ; trois passées, la médiane un peu plus tendue que les deux autres
- **Velours** : laine, nœuds persans ouverts sur la gauche, 2000 nœuds/dm²

BIBLIOGRAPHIE

- Bode von W., Kühnel E., *Antique Rugs from the Near East,* 1984, p.89.
- Pour le tapis du musée Bardini, cf. Boralevi A., « The Bardini Persian Floral Medallion Carpet », *Hali*, n° 39, mai-juin 1988, p.14-15.
- Pour le tapis du musée de Boston, cf. *The Eastern Carpet in the Western World,* Hayward Gallery, Londres, 1983.

Le champ rectangulaire à fond rouge, de dimension monumentale, est entièrement recouvert de cinq alignements de corolles de lotus et de banderoles de nuages inspirés de l'art chinois, auxquels s'ajoutent deux alignements à moitié figurés sur les côtés latéraux. Au centre du champ, se déploie un immense médaillon circulaire à fond turquoise et à contour légèrement polylobé. Son pourtour, ourlé de petits nuages safranés, est repris une seconde fois vers le centre sous une forme plus ample et plus claire; quant à son cœur, il est scellé d'un lotus bleu roi. Le thème de bordure, sur fond bleu, est composé d'une succession de cartouches, de rondeaux et de petits médaillons à huit pointes, formant un enchaînement comparable à celui d'un collier.

On ne connaît que deux autres exemplaires de ce type : celui du musée Bardini de Florence et celui du Museum of Fine Arts de Boston. Cette version, très rare, présente des traits d'ancienneté qui la rattachent éventuellement à l'art des derniers Ak-Koyunlu de Tabriz et qui justifient son épithète de « proto-safavide ». Le champ, exempt de tout quadrant, est tapissé de fleurs hiératiques et de nuages « tchi » ; leur ordonnancement rigoureux est conforme à l'esthétique ilkhanide de la fin du xive siècle. Le thème de bordure, par son enchaînement de cartouches et de rondeaux, est d'un esprit assez proche de celui des tapis mamelouks. Quant au médaillon du centre, sa forme presque circulaire (du reste, fort difficile à exécuter pour un tisserand), paraît précéder les grandes corolles étoilées ou les mandorles prolongées de pendants qui seront en honneur à l'époque safavide. De plus, si la chaîne est en coton – ce qui n'est pas surprenant dans des tapis de ce format – les trames sont en laine rouge, conformément aux usages des Turcs et des Turcomans. Même si le tapis à été produit à l'époque safavide, il semble conserver un certain nombre de caractéristiques laissées par les ateliers des Ak-Koyunlu. L'image, où le symbolisme céleste est fortement souligné, ne renvoie pas aux frontispices des manuscrits enluminés, mais évoque plutôt la superstructure des yourtes princières, dont l'ultime berceau, recouvert de soie (et d'un tapis, comme c'était parfois l'usage sous Tamerlan), déployait une riche composition axiale d'inspiration chinoise. Dans notre tapis, l'orbe du centre paraît figurer le Ciel du Trône se détachant sur le maillage du Ciel des Fixes.

R. G.

TAPIS PERSAN À MÉDAILLON CENTRAL

Nord-ouest de la Perse, Tabriz (?), période safavide, Ire moitié du XVIe siècle

530 x 222 cm

Lisbonne, Museu Calouste Gulbenkian, inv. T. 97

ANALYSE TECHNIQUE

- **Chaîne** : coton beige, filé Z2S
- **Trame** : coton écru, filé Z2S, trois passées de trame entre chaque rangée de nœuds
- **Velours** : laine, nœuds asymétriques ouverts sur la gauche, 2500 nœuds/dm^2
- **Couleurs** : vert, divers tons de bleu, rose, rougeâtre, marron et ivoire

De format allongé et relativement étroit, ce tapis de laine fabriqué probablement à Tabriz, au nord-ouest de la Perse, dans un atelier royal de la première capitale safavide, présente un champ vert d'eau, assez rare (le champ de ces tapis est habituellement rouge). Un énorme médaillon en forme d'étoile à seize branches se détache au centre, et l'on aperçoit des quarts de médaillons dans les angles.

Son décor se rapproche beaucoup de l'art du livre. En effet, ce type de motifs apparaît, par exemple, sur les reliures, bien avant qu'on ne le trouve dans les décors de tapis. D'ailleurs, l'art des miniaturistes et des peintres a fortement influencé la conception des tapis persans les plus anciens exécutés dans les ateliers citadins et de cour.

Le médaillon central, à prédominance rouge, est orné de fleurs et d'oiseaux ; sa composition octogonale inclue une petite étoile. Les quarts de médaillon, dans les angles du champ, sont décorés exactement de la même façon que le médaillon central mais dans une couleur différente. Le champ est aussi d'une composition très équilibrée, avec des rinceaux de vigne, des arabesques et diverses fleurs. La bordure, caractéristique de ce type de tapis, est décorée de petites fleurs et d'un liseré végétal qui ondule et alterne avec de grandes palmettes, sur fond bleu. Les deux bandes d'encadrement étroites sont occupées par un minuscule décor floral.

Selon Donald King[1], les tapis de ce type, fabriqués au nord-ouest de la Perse, auraient influencé les artisans d'Anatolie, comme en témoigne la présence d'étoiles à seize branches qui apparaissent dans leurs productions ainsi que dans les tapis Ouchak à médaillon.

Cette pièce, qui est peut-être la plus ancienne de la collection réunie par Calouste Gulbenkian, a appartenu à la collection impériale d'Autriche – et certains l'associent à Charles Quint. D'autres exemples de ce type sont conservés à Londres, New York et Washington, mais celui présenté ici est considéré comme l'un des plus beaux. Calouste Gulbenkian en fit l'acquisition à La Haye en 1935.

M. F. P. L.

1 King, 1983, cat. 58, p. 85-86, pl. p 86.

TAPIS À MÉDAILLON

Nord-ouest de l'Iran ou Anatolie orientale, fin du XVIIe - début du XVIIIe siècle

370 x 216 cm

Ham, The Keir Collection, inv. 45

ANALYSE TECHNIQUE

- **Chaîne** : laine blanche, filée Z2S
- **Trame** : laine rouge, filée Z2
- **Velours** : laine, nœuds persans (asymétriques)

BIBLIOGRAPHIE

- Eiland M., « Early Carpets in the Fine Arts Museums of San Francisco », *Oriental Carpet and Textile Studies*, vol. 1, 1985.
- Spuhler F., *Islamic Carpets and Textiles in the Keir Collecton*, Londres, 1978, n° 45.

Le médaillon central à seize pointes, d'un bleu profond, est entouré d'un mince contour vert, formant frontière avec le champ rouge. La couleur du champ fait écho à la petite figure polylobée placée au cœur du médaillon central et qui porte curieusement en son centre un octogone de type « Holbein à grands motifs ». Les écoinçons sont garnis de quadrants polylobés divisés en trois zones chromatiques : rouge, vert et jaune. Le champ, comme le médaillon central, sont tous deux ornés de fleurs et de feuilles stylisées disposées en symétrie. Leurs dimensions assez réduites contrastent avec le caractère monumental de la bordure d'encadrement dont le thème en feston, comportant des sections jaune-orangé et bleu, est associé, à intervalles réguliers, à des quatre-feuilles blanc et rouge.

Cette pièce est de toute évidence un descendant des grands tapis à médaillon safavides du XVIe siècle. Le magnifique exemplaire du musée Gulbenkian de Lisbonne (cat. 36), fournit un parfait modèle pour le médaillon, la bordure et le schéma de composition. Au fil des rééditions et des transformations, les multiples rinceaux de la version initiale ont été remplacés dans notre tapis par des motifs anguleux moins complexes[1]. Cette caractéristique, ainsi que le dessin moins sophistiqué du médaillon, permet d'attribuer notre pièce à la fin du XVIIe ou au début du XVIIIe siècle. Bien que les preuves documentaires soient minces, la vibrante palette du tapis de la Keir Collection semble apparentée aux couleurs des tapis du nord-ouest de l'Iran et de l'Anatolie orientale. Nous ne savons pas grand-chose sur le mode de fonctionnement des ateliers de cette époque, ni pourquoi les décors « classiques » de la cour safavide se sont conservés et ont continué à être édités longtemps après que les centres de production de Tabriz et Isfahan eurent cessé de fabriquer leurs modèles originaux.

La pièce de la Keir Collection fait partie d'une paire. L'autre exemplaire est conservé au de Young Museum de San Francisco. Cette particularité pourrait suggérer une commande spécifique[2].

R. de U.

1 L'apparition en 1993 d'une copie plus ancienne du motif du tapis du musée Gulbenkian montre clairement l'évolution des éléments du dessin, qui ont été transformés ou supprimés de génération en génération, à partir du modèle d'origine. Voir à ce sujet l'article de John Eskenazi à propos de l'édition 1993 de la foire de Maastricht paru dans *Hali*, n° 67, février-mars 1993.

2 Sur une récente affiche montrant un dessin de l'intérieur du tombeau de prophète Muhammad, on peut voir sur les murs un tapis dont les motifs et la palette sont très proches de l'exemplaire de la Keir Collection et du de Young Museum. L'auteur remercie John Eskenazi de lui avoir communiqué cette information.

38

FRAGMENT DE TAPIS À MÉDAILLON

Nord-ouest de l'Iran ou Anatolie orientale, XVIIe siècle

180 x 150 cm

Ham, The Keir Collection, inv. 40

ANALYSE TECHNIQUE

- **Chaîne** : laine rouge, filée Z2S
- **Trame** : laine blanche, filée Z
- **Velours** : laine, nœuds symétriques

BIBLIOGRAPHIE

- Spuhler F., *Islamic Carpets and Textiles in the Keir Collection,* Londres, 1978, n°40.

Le champ jaune tranche avec l'azur profond de la bordure. Le médaillon central en forme d'étoile, rouge garance et vert, est meublé d'une figure en losange portant des rinceaux et des feuillages stylisés. Les deux petits médaillons placés en pendants renforcent la verticalité de l'image. Dans les écoinçons, les deux quadrants qui subsistent sont les seuls éléments participant à la construction décorative du champ. Des alignements très denses de motifs floraux stylisés garnissent l'espace intermédiaire. La bordure est parée d'un enchaînement de cartouches et de rosaces, s'inscrivant entre deux rinceaux fleuris. Sur les parties latérales, une double rosette marque l'axe longitudinal du médaillon et rompt l'alternance régulière du thème de bordure.

La composition décorative de ce fragment s'inspire à l'évidence des tapis à médaillon safavides plus anciens. Les banderoles de nuages placées dans les cartouches de la bordure renvoient également à la tradition persane. Toutefois, la structure des fils de chaîne et des fils de trame, de même que la palette de couleurs, indiquent une origine turque. L'agencement en lignes horizontales des motifs floraux auxquels viennent s'associer des motifs géométriques rappelle les tapis de l'Anatolie occidentale et vient étayer cette hypothèse. Nous ne connaissons à ce jour rien de comparable à cette pièce.

R. de U.

OUCHAK À MÉDAILLON SUR FOND BLEU

Turquie, Anatolie de l'Ouest, Ouchak, XVIe siècle

560 x 263 cm

Lyon, musée des Tissus, inv. MAD 150,

don de Joseph Gillet, 1924

ANALYSE TECHNIQUE

- **Chaîne** : laine blanche écrue, filée Z2S
- **Trame** : laine rouge, filée Z1, deux passées
- **Velours** : laine, nœuds turcs,1200 nœuds/dm²
  La bordure en haut et en bas a été restaurée avec des fragments d'un autre tapis

EXPOSITION

- *Le tapis, Art traditionnel et fonctionnel,* Centre culturel de Boulogne-Billancourt, 1982.
- *Tapis, Présent de l'Orient à l'Occident,* Institut du monde arabe, Paris, 1989, p. 97.

BIBLIOGRAPHIE

- Burckhardt T., *Art of Islam : Language and Meaning*, Westernham, 1976, pl. 93.
- Bennet I., « Splendours in the City of Silk », *Hali,* n°35, juillet-septembre 1987, p. 37.
- Day S. *et al., L'Art du tapis dans le monde,* Paris, 1996, p. 87.
- Gilles R., « Le Soleil proposé en énigme », *Revue du Louvre,* 4, 1997, p. 55.
- Mills J., *Carpets in Paintings,* Londres, 1983, n°46.

Au centre d'un champ bleu nuit se déploie une amande rouge feu à pourtour crénelé et aux pointes prolongées de pendants. Cette image souveraine est encadrée par quatre étoiles bleu clair, figurées à moitié sur les côtés latéraux, et qui épousent la forme d'un lotus ou d'un double col chinois. Dans l'espace intermédiaire, une constellation de pivoines jaunes se détache sur l'obscurité du fond. En haut et en bas du champ, l'amorce d'un médaillon rouge, identique à celui du centre, maintient *in extremis* le principe du décor continu. Par ce biais, la grande bordure d'encadrement – à fond rouge et parée d'une guirlande de lotus – joue le rôle d'une fenêtre ouverte sur un espace nocturne, vide et sombre, cependant animé par la solennelle procession du Ciel des Fixes.

Sans avoir l'ancienneté et la finesse de l'Ouchak à fond bleu du musée du Louvre – dont la bordure en palmettes démarque une frise en coufique fleuronné – l'exemplaire de Lyon se classe parmi les plus imposants. La parfaite conduite du dessin suggère une date d'exécution vers le milieu du XVIe siècle. Les motifs utilisés dans cette mise en scène de la Souveraineté sont connus. Il s'agit d'un vocabulaire « noble ». Les pivoines silhouettées apparaissent déjà dans les céramiques de Kachan de l'époque ilkhanide (XIVe siècle), les étoiles bleues (ici doublées), à découpe de col chinois, figurent sur les revêtements pariétaux de la mosquée Bleue de Tabriz (1465), et l'ensemble de la composition s'apparente à un plat de reliure timouride. Tous ces thèmes sino-turcomans, repris par les Turcs, manifestent la nouvelle puissance de l'empire. Toutefois, leur adoption dans l'art du tapis n'est probablement pas antérieure au règne de Bayezid II, (1481-1512). L'image, conçue peut-être par les ornemanistes travaillant dans l'entourage de cheikh Hamdullah, le calligraphe religieux du Sérail, est une sorte de réponse « sunnite » au décor imaginé par les Persans pour exalter le messianisme de la monarchie safavide. Non seulement la construction de type continu est maintenue, mais elle communique ici une sensation de mouvement. On est moins ici devant la représentation d'un plérôme de Lumière qui, de théophanie en théophanie, se déploie sur son ciel, qu'en présence d'une horloge cosmique donnant le Maître de l'Heure : *malik al-zaman*. L'amande centrale, Trône de la Puissance, doit laisser la place à une autre de même contour qui apparaît à l'horizon. Puissance subtile évoluant sur son Ciel – comme évoluent sur le leur les étoiles bleues ou la constellation des pivoines jaunes – mais dont le mouvement et la temporalité réaffirment le principe de la transcendance et le caractère transitoire de toute chose créée.

R. G.

TAPIS À MÉDAILLON ET COMBATS D'ANIMAUX

Perse, Kachan, période safavide, milieu du XVIe siècle

230 x 180 cm

Lisbonne, Museu Calouste Gulbenkian, inv. T. 100

ANALYSE TECHNIQUE

- **Chaîne** : soie beige écrue, filée Z3S
- **Trame** : soie beige dorée, filée Z2S, quatre passées de trame entre chaque rangée de nœuds
- **Velours** : soie, nœuds asymétriques ouverts sur la gauche, 4000 nœuds/dm²
- **Couleurs** : rouge cerise, divers tons de bleu, marron, jaune, vert foncé et clair, beige doré, beige clair

Ce tapis de soie se caractérise par sa grande densité de nœuds et sa composition recherchée. Le champ à fond rouge est entouré par une bordure principale couleur vert mousse et, au centre, figure un grand médaillon quadrilobé à fond bleu, avec deux couples de phénix adossés et deux palmettes de grande taille. Le champ est entièrement occupé par différents motifs floraux épars et des scènes de combats d'animaux : des tigres et des panthères attaquent des antilopes, des lions égorgent des cerfs et des bovins et, dans les angles, sur un fond jaune d'or, de petits oiseaux sont perchés sur des branches fleuries. D'une grande élégance décorative, la composition de l'ample bordure principale fait alterner palmettes, petites fleurs et faisans aux grandes queues emplumées. La contre-bordure intérieure comprend une série de petites branches avec des rosettes et des nuages « tchi » (*qi*), d'inspiration chinoise, sur fond bleu clair. La contre-bordure extérieure présente une composition florale variée sur fond rouge.
Les tapis de soie persans sont généralement considérés comme les plus raffinés des tapis à points noués. La ville de Kachan (où ce tapis aurait été fabriqué) se trouve au centre de la Perse. Elle était connue pour son commerce et ses manufactures de soie dès le XVIe siècle, comme en témoignent des récits de voyageurs qui, à partir de 1600, mentionnent également l'existence de superbes tapis.

Ce tapis de la collection Gulbenkian aurait été exécuté durant le règne de Châh Tahmasp Ier (1524-1576). Il appartenait à une collection de seize tapis de soie, de petites dimensions et à la composition relativement homogène, qui sont attribués à Kachan.

Certains de ces tapis possèdent des médaillons centraux polylobés, des quarts de médaillon dans les angles et un riche décor floral (par exemple ceux du Metropolitan Museum de New York, du musée des Gobelins à Paris, du Museu Nacional de Machado de Castro à Coimbre et du Bayerisches Nationalmuseum de Munich) ; d'autres modèles offrent, le long du champ, des scènes de combats d'animaux (ceux du Louvre et du Metropolitan Museum). Le présent de tapis réunit les deux types de composition. Acheté par Calouste Gulbenkian en 1936 à Amsterdam, ce tapis était exposé jusqu'alors au Kunstgewerbemuseum de Berlin, et avait été acquis en 1880 à Milan par Wilhelm von Bode[1].

M. F. P. L.

1 Thomson, 2003, p. 292.

TAPIS VILLAGEOIS À MÉDAILLON

Anatolie centrale, XVIe - XVIIe siècle

285 x 173 cm

Berlin, Museum für Islamische Kunst, inv. KGM 1886, 500,

achat du Kunstgewerbemuseum, 1886

ANALYSE TECHNIQUE

- **Chaîne** : laine blanche, filée Z2S
- **Trame** : laine rouge, filée Z2
- **Velours** : laine symétrique, 1120 nœuds/dm²

EXPOSITION

- *Ausstellung Orient-Teppiche*, Museum für Kunst und Gewerbe, Hambourg, 1950, n° 45.
- *Oosterse tapijten*, Stedelijk Museum « Het Prinsenhof » te Delft, Delft, 1948-1949, ill.30, n° 80.

BIBLIOGRAPHIE

- Jacoby H., *Eine Sammlung orientalischer Teppiche, Berlin*, 1923, pl. 22.
- Spuhler F., *Oriental Carpets in the Museum of Islamic Art, Berlin*, Washington D.C., 1987, n° 16 et 17.

Dans notre essai du présent ouvrage, nous avons exprimé notre sentiment sur l'analyse que l'on fait généralement des tapis de villages, dans bien des cas, moins tardifs qu'on ne croit. Il est clair que les décors à médaillon étaient familiers à la tisserande qui a exécuté ce tapis et qu'elle n'a pas eu besoin de recourir à un carton-modèle. C'est en interrogeant sa mémoire qu'elle a choisi de composer le médaillon central en y incluant quatre branches à terminaisons fourchues et en l'entourant d'une bande ondulée, reprise un peu plus loin vers le centre. Elle a remplacé les pendants par de petits médaillons comme ceux qui apparaissent sur les Ouchak à double niche, ou sur les anciens tapis de prière. Au lieu de garnir les angles du champ avec des quadrants, elle s'est contentée de les couper en diagonale. De petits octogones à crochets et des losanges sont disséminés dans le champ, en fort contraste avec la composition disciplinée des produits d'ateliers professionnels. La bordure commence en bas avec une bande de nuages d'un caractère tout classique. Dans les parties verticales, ce dessin complexe est remplacé par une version plus simple et plus archaïque. Dans la bordure supérieure, elle a repris la bande de nuages. Contrairement aux tisserandes travaillant en manufactures, elle ne disposait probablement d'aucun modèle. La fraîcheur de sa composition dépendait donc uniquement de son imagination et de sa mémoire. Les changements de couleurs, ici très marqués et qui contribuent à l'enchantement de cette pièce, laissent deviner que les laines étaient teintes en petites quantités dans des bains différents. Nous tenons pour certain que ce tapis n'a pas été fabriqué pour la vente ou l'exportation.

En plus de deux exemplaires du même groupe conservés au musée de Berlin, un exemplaire assez proche faisait autrefois partie de la collection Jacoby et un autre, exposé à Hambourg en 1950, appartenait à la collection Bernheimer. Le Rijksmuseum d'Amsterdam en possède deux. Nous sommes persuadés qu'en poursuivant les recherches, on en trouverait davantage [1]. Bien que les pièces de ce groupe soient fort hétérogènes, elles partagent entre elles un certain nombre de points communs. Leurs couleurs caractéristiques permettent de les placer, soit en Anatolie centrale, soit en Anatolie de l'Ouest. Une étude plus approfondie dans ce domaine reste à faire.

F. S.

1 Beattie M.H. , « Some Rugs of the Konya Region », *Oriental Art Magazine*, vol. 22, 1976, ill. 6 et 26. Entre-temps, le musée des Vakiflar d'Istanbul en a exposé deux supplémentaires.

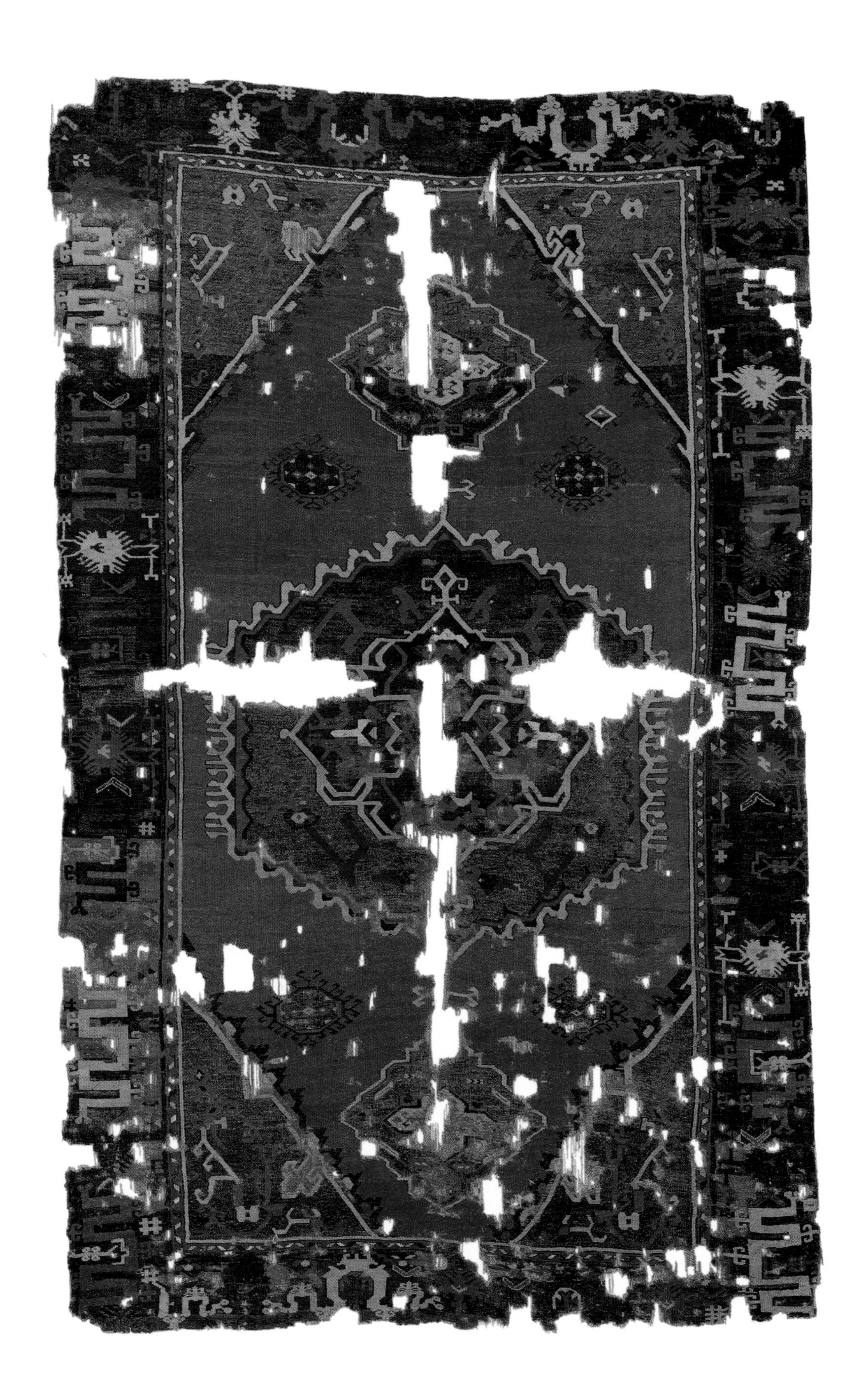

42

TAPIS À DEUX MÉDAILLONS

Turquie occidentale, XVIe - XVIIe siècle

300 x 167 cm

Berlin, Museum für Islamische Kunst, inv. KGM 1883, 516

(numéro d'inventaire erroné) ; mise en lieu sûr durant la Seconde Guerre, la pièce porte l'annotation « numéro erroné » depuis son retour en 1956 dans les réserves. Son inscription d'origine, portée par le Kunstgewerbemuseum, n'a pas été retrouvée.

ANALYSE TECHNIQUE

- **Chaîne** : laine blanche, filée Z2S
- **Trame** : laine rouge, filée Z2
- **Velours** : laine, nœuds symétriques, 1225 nœuds/dm²

BIBLIOGRAPHIE

- Spuhler F., *Oriental Carpets in the Museum of Islamic Art, Berlin*, Washington D.C., 1987, n° 25.

Par ses couleurs et par leur distribution, ce tapis ressemble fort au n° 49 du catalogue et appartient à la même famille. Une solution très simple a été apportée pour harmoniser le médaillon central avec le format allongé du champ, même si cela est en désaccord avec la signification du concept. Le médaillon a été repris une seconde fois sur le champ et les pendants qui pouvaient s'intercaler ont été omis.
La bordure d'encadrement propose un enchaînement de cartouches polylobés meublés de rosettes à huit pétales blancs et rouges, et les losanges en damier qui les relient, s'inspirent des anciens nœuds coufiques des tapis « Holbein ».
La luminosité et l'équilibre qui se dégagent de cette pièce répondent à notre sens de l'harmonie. Elle figure parmi les œuvres les plus appréciées de la collection berlinoise.

F. S.

43

TAPIS À MÉDAILLON

Turquie orientale, XVIIe - XVIIIe siècle

223 x 144 cm

Berlin, Museum für Islamische Kunst, inv. KGM 1884, 898,

achat du Kunstgewerbemuseum lors de la vente aux enchères

de la collection Castellani, Rome 1884

ANALYSE TECHNIQUE

- **Chaîne** : laine blanche, filée Z2S
- **Trame** : laine rouge, filée Z2
- **Velours** : laine, nœuds symétriques, 1353 nœuds/dm²

BIBLIOGRAPHIE

- Ellis C.G., *Early Caucasian Rugs*, Textile Museum, Washington D.C., 1975, pl. 17 et 19.
- Spuhler F., *Oriental Carpets in the Museum of Islamic Art, Berlin*, Washington D.C., 1987, n° 72.

Il est assez difficile de déterminer l'origine de ce tapis en raison de son caractère exceptionnel ; nous pouvons au moins énumérer les groupes auquel il ne saurait appartenir. Ni ses motifs, ni ses teintes ne permettent de le rattacher à une quelconque création d'Ouchak, ni aux groupes des tapis de Bergama ou de Konya.

Les éléments décoratifs du champ, isolés les uns des autres et sans connexion entre eux, le médaillon central curieusement déplacé vers le haut, font penser aux tapis caucasiens des XVIIe et XVIIIe siècles. En bas du champ, les deux corolles symétriques, s'ouvrant en diagonales, ainsi que les fleurettes trilobées qui en émanent, rappellent également les tapis à grands motifs floraux du Caucase, tout comme la grande palmette à contour sinueux posée sur l'axe médian. Au-dessus, une fleur étoilée, traduit, sur un mode simplifié, la grande corolle radiante des tapis « Sunburst ». Elle se répète de part et d'autre, mais divisée en deux, sans raison apparente. D'autres silhouettes de fleurs, s'échappant à demi des bords latéraux du champ, évoquent aussi le Caucase.

Les huit lobes du médaillon central, dont certains sont très renflés, contiennent une sorte de boucle très claire, sans doute dérivée des banderoles de nuages chinois. On relève là une certaine ressemblance avec les tapis à médaillon du nord-ouest de la Perse, des XVIe et XVIIe siècles.

La bordure, à fond bleu, est parée d'un enchaînement de cartouches et de rondeaux polylobés, rappelant la bordure des tapis de Damas à effet de mosaïques. Sur les côtés latéraux, le thème est composé de cartouches et de palmettes stylisées.

Toutefois, la présence dans le champ des trois boules posées en triangle, qui appartiennent aux traditions turques, vient affaiblir les liens de parenté avec les tapis du Caucase ou du nord-ouest de la Perse.

En définitive, on pourrait attribuer la pièce à la Turquie orientale, une région où s'entrecroisent les influences que nous avons relevées, mais ce ne serait qu'une sorte d'échappatoire à un problème complexe. Les teintures ne sont pas d'un grand secours. Le fond est rouge saumoné, le médaillon et les bordures, bleu moyen. Des bleus plus clairs, du vert et du violet sont utilisés dans le traitement des fleurs.

F. S.

FRAGMENT D'UN TAPIS DE TABLE OTTOMAN DU CAIRE

Égypte, second quart du XVIe siècle

145 x 36 cm

Berlin, Museum für Islamische Kunst, inv. KGM 1888, 146,

achat du Kunstgewerbemuseum, 1888

ANALYSE TECHNIQUE

- **Chaîne** : laine bleu clair, filée S3Z
- **Trame** : laine beige, filée S2Z (rétorsion en Z très faible), deux passées
- **Velours** : laine, filée S2 et S3, nœuds persans (asymétriques), 2646/dm²

BIBLIOGRAPHIE

- Erdmann K., « Besprechung Kühnel, Cairene Rugs », *Orient*, 1959, p. 228.
- Erdmann K., *Berliner Museen, Berichte aus dem Preussischen Kunstsammlungen*, Berlin, NF 1959, p. 13, ill.1.
- Spuhler F., *Oriental Carpets in the Museum of Islamic Art, Berlin*, Washington D.C., 1987, n° 67.
- Viale Ferrero M., *Impariamo a conoscere i Tappeti*, 1967, n° 26.

Cet important fragment a fait l'objet d'une étude approfondie de la part de Kurt Erdmann, en 1959.

Rares sont les exemplaires où le style mamelouk vient se mêler au style ottoman. Ce fragment représente la partie supérieure gauche de la pièce, prolongée d'un panneau. Son fond lie-de-vin est meublé de rangées transversales de papyrus à cinq faisceaux de feuilles, alternativement verts et bleu clair.

Erdmann a interprété le petit morceau de médaillon à contour polylobé comme étant le segment d'un cercle. Or, si l'on reconstruisait ce cercle, on obtiendrait un diamètre considérable qui nécessiterait un champ anormalement large. Il s'agit probablement d'un médaillon ovale, une forme fréquemment présente dans le répertoire des tapis ottomans. L'angle du champ se conforme au principe de construction des tapis à médaillon ottomans et safavides et adopte une corolle en palmette, de style naturaliste, entourée de motifs floraux.

Au-dessus du champ, figure un panneau séparé par un petit bandeau transversal classique. À fond rouge lie de vin, ce panneau très fragmentaire est orné de médaillons étoilés, de couleur verte et bleu clair et de losanges garnis de papyrus et d'une curieuse rosette à pétales intersectés. Au-delà, la bordure principale est parée d'une guirlande de grosses corolles et de feuilles incurvées, s'accordant aux fleurs de l'écoinçon.

Le décor observe une sorte d'équilibre entre les motifs d'origine mamelouke et ceux d'origine ottomane. Parmi les premiers, se rangent les plantes de papyrus et le petit bandeau d'encadrement ; parmi les seconds, figurent le thème de bordure, le pourtour ondulé du médaillon et le traitement de l'écoinçon.

Le fait que tous les côtés du champ, ainsi que le panneau, soient cernés par un étroit bandeau garni d'un feston – ici, assez frustre – met en évidence que la grande bordure florale extérieure ne formait pas des angles à 90° et qu'elle n'entourait pas un champ carré ou rectangulaire. Nous pouvons affirmer avec certitude que notre fragment appartient à un tapis à plan cruciforme, destiné à recouvrir une table ou un autel, ainsi que le démontrent deux autres exemplaires connus[1]. Ces pièces cruciformes étaient vraisemblablement réalisées pour l'Europe.

F. S.

1 Londres, Victoria & Albert Museum, inv. 151-1883 (**cat. 45**) ; San Gimignano, Museo Civico ; voir Viale Ferrero M., 1967, n° 26.

TAPIS DE TABLE À DÉCOR FLORAL OTTOMAN

Égypte, Le Caire, fin du XVIe siècle

254 x 241 cm

Londres, The Victoria and Albert Museum, inv. 151-1883

BIBLIOGRAPHIE

- Erdmann K., « Kairene Teppiche, 2 : Mameluken und Osmanenteppihe », *Ars Islamica*, n°3, 1940, fig. 15.
- Erdmann K., *Europa und der Orientteppich*, Berlin, 1962, fig. 62.
- Martin F.R., *A History of Oriental Carpets before 1800*, Vienne, 1908, pl. 152.
- Pinner R., Franses M., « The East Mediterranean Carpet Collection in the Victoria and Albert Museum », *Hali*, vol. 4, n°1, 1981, p. 45, fig. 11.

Ce tapis de table, à fond rouge cramoisi, est composé d'une partie centrale presque carrée prolongée de quatre pans séparés. Il déploie au centre de son champ un grand médaillon circulaire, orné intérieurement de huit bandes ondulées (« lèvres de Bouddha »), reposant sur des bouquets de fleurs ottomanes ; un second cercle concentrique, moins chargé d'ornements, est meublé de tulipes, de jacinthes et d'œillets disposés en rayon autour d'une fleur étoilée. Les quatre pans sont frappés d'un médaillon plus petit décoré des mêmes fleurs et sont scandés dans leurs angles de mandorles fleuries ; ils sont bordés par un bandeau à décor très serré de lotus « hatayî » et de feuilles « roumî ». Cette pièce a été achetée à Paris en 1883. On connaît deux autres exemplaires de tapis de table, tissés au Caire à l'époque ottomane, et ornés de cet opulent style fleuri lancé sous le règne de Soliman le Magnifique : l'un, conservé en Italie, au Museo Civico de San Gimignano, porte sur ses rabats les armes d'une famille aristocratique, et l'autre, très fragmentaire, conservé au musée d'Art islamique de Berlin que nous avons choisi d'exposer (cat. 44). Il semble que les ateliers du Caire aient été spécialisés dans ce genre de tour de force, puisque l'on connaît des tapis de forme discoïdale destinés à recouvrir des tables rondes, soit à décor mamelouk, comme celui autrefois conservé dans la collection Piero Barbieri de Gênes, soit à décor ottoman floral, comme celui de la Corcoran Gallery of Art de Washington. Ces articles de commande laissent deviner un commerce suivi entre l'Égypte et l'Europe de la Renaissance.
Quant aux « lèvres de Bouddha » qui décorent le médaillon central, elles sont le plus souvent surmontées de trois boules disposées en triangle. Ce motif, appelé « chintamani », par référence aux trois joyaux du bouddhisme, apparaît dans l'art islamique dès l'époque seldjoukide. Tamerlan l'avait adopté pour emblème. La Turquie ottomane qui le rapprochait de la fourrure tachetée du léopard, l'a abondamment diffusé sur ses tapis, ses velours et ses céramiques.

R. G.

46 et 47

DEUX FRAGMENTS DE TAPIS OTTOMAN
BURSA (?), VERS 1600

120 x 103 cm (inv. 89, 150)

130 x 104 cm (inv. 97, 58)

Berlin, Museum für Islamische Kunst, inv. KGM 1889, 150; inv. KGM 1897, 58,

achat du Kunstgewerbemuseum, 1889 (inv. 89, 150)

achat du Kunstgewerbemuseum, 1897 (inv. 97,58)

ANALYSE TECHNIQUE

- **Chaîne** : soie vert olive, Z2S et Z3S (ce dernier type de filage est plus rare)
- **Trame** : soie lie-de-vin, le sens du filage est impossible à déterminer ; deux passées
- **Velours** : laine, filée S2, et coton, nœuds asymétriques, 2925 nœuds/dm²

BIBLIOGRAPHIE

- Erdmann K., « Kairener Teppiche, I, Europäische und islamische Quellen des 15.-18. Jahrhunderts », *Ars Islamica*, 1938, p. 187, n° 5.
- Erdmann H., *Orientteppiche des 16.-19. Jahrhunderts*, Kestner Museum, Hanovre 1966, n° 2., n° d'inv. 5424.
- Kühnel E., Bellinger L. *Cairene Rugs and others Technically Related, 15th Century to 17th Century*, The Textile Museum, Washington D.C., R 1.74, R 1.134, 1957, pl. 38 et 39.
- Sarre F., Trenkwald H., *Österreichisches Museum für Angewandte Kunst*, I, Vienne, pl. 58 et 59.
- Spuhler F., *Oriental Carpets in the Museum of Islamic Art, Berlin*, Washington D.C., 1987, n° 65-66.
- Völker A., *Die orientalischen Knüpfteppiche im MAK*, 2001, n° 7. 2.

L'un des plus beaux tapis ottomans connus, n'a malheureusement subsisté que sous la forme de fragments divers, lesquels, pour aggraver la situation, sont disséminés dans plusieurs collections. Le plus grand morceau est à Vienne et nous permet d'avoir une idée de ce que pouvait mesurer la pièce avant son fractionnement. Sa largeur devait atteindre 4,60 m. On peut la déduire d'après la largeur qui subsiste et qui est de 4,36 m, auxquels il faut ajouter deux fois 12 cm pour les contre-bordures extérieures. Pour les autres groupes de tapis, il est presque toujours possible – après examen des pièces de même sorte – d'établir le rapport entre largeur et longueur, et par conséquent de trouver les mesures d'origine. Mais pour les tapis ottomans, les formats, trop variables, rendent la chose impossible. Étant donné sa dimension, c'est sur le fragment de Vienne que nous nous appuierons pour décrire le décor.

Le champ rouge bordeaux est décoré de deux rangées transversales de motifs disposés en décalage. Dans la première rangée, de grandes feuilles bifides élégamment ciselées, ourlées de coton non teint, et dont la blancheur est en fort contraste avec le velours des laines, s'incurvent en ogive pour former des médaillons quadrifoliés à fond bleu sombre. Ces médaillons sont figurés intégralement deux fois sur la rangée et figurés à moitié lorsqu'ils touchent les bords latéraux du champ. Le premier fragment berlinois (cat. 46) nous montre, posé en écoinçon, un quart de ces médaillons quadrifoliés à éléments incurvés. L'autre fragment (cat. 47), livre l'extrémité inférieure gauche d'un médaillon et l'extrémité droite du médaillon voisin, qui le reprend en symétrie.

La deuxième rangée de motifs comprend trois grands cartouches de format allongé, prolongés verticalement de deux pendants en écusson ou en cuspides. Dans le second fragment de Berlin, on aperçoit, en bas, une partie de ce cartouche à fond bleu-vert.

La bordure adopte, comme le champ, un fond rouge bordeaux. De grosses fleurs palmiformes, assez semblables, posées en alternance, forment l'essentiel du thème décoratif. L'une est entourée d'une paire de feuilles incurvées et bifides, l'autre d'une fine banderole de nuages à dessin sinueux. Ces motifs principaux sont tous orientés vers l'extérieur. L'ornementation des contre-bordures, nettement plus schématique, comporte des feuilles en faucilles posées dans le même sens, entrecoupées de rosettes et de corolles de lotus. Par contre, les rubans de séparation, ordinairement sans importance, sont décorés ici de motifs « chintamani ». Très diffusé dans les tapis ottomans de l'époque, ce motif ne se rencontre généralement que dans le champ. Le décor subtil, bien que très chargé, la richesse du matériau – chaîne et trame en soie –, les dimensions du tapis, tout cela ne laisse aucun doute : il s'agit d'un tapis commandé par la cour. On pensait jusqu'à une date récente que les six fragments répertoriés appartenaient à une seule et même pièce, bien qu'aucun ne se raccorde directement à un autre. On pourrait donc envisager l'existence d'une paire. La question de sa provenance, très complexe, n'a pas été encore résolue de manière satisfaisante. Si nous suivons notre première impression, ce décor illustre le style floral ottoman de la dernière partie du XVIe siècle et témoigne d'un degré de virtuosité qui peut difficilement relever des ateliers du Caire, lesquels dans les cinquante années qui ont précédé, ont produit des chefs-d'œuvre (les tapis mamelouks), d'un style complètement différent. Cette commande, comportant des motifs d'une grande subtilité et qui leur étaient étrangers, aurait été sans doute hors de leur compétence.

Pour aucun autre groupe de tapis, l'analyse technique ne revêt autant d'importance que pour celui qui comprend les tapis mamelouks, les tapis ottomans du Caire et les tapis de Damas qui leur sont apparentés. Elle seule peut donner des arguments décisifs en matière d'attribution. Pour déterminer l'origine de nos fragments, l'étude des procédés techniques a été poussée très loin et le manque de structures comparables ne peut être invoqué pour justifier que la réponse reste encore en suspens. Cela souligne simplement que l'analyse technique ne fournit que des éléments de solution. Dans ce cas précis, voici les données du problème : le nœud asymétrique (le nœud persan) est une caractéristique des tapis mamelouks, et renvoie par conséquent aux ateliers du Caire. La teinture de la laine est également conforme à leurs traditions. En revanche, la structure de la chaîne et de la trame, et surtout la rétorsion en S, ne correspond pas aux usages cairotes.

Ernst Kühnel a trouvé le moyen de sortir de ce dilemme grâce à un document d'archive qui révélait qu'en 1585, le sultan Mourad III avait fait venir à sa cour d'Istanbul onze maîtres tisserands du Caire, en même temps qu'une certaine quantité de laine. Or, puisqu'il n'est pas certain que des ateliers aient existé au tout début du XVIIe siècle dans la capitale, et que Bursa, ville voisine, était d'ores et déjà célèbre pour sa production de velours et de brocart, il est fort possible que des commandes de cet ordre y aient été exécutées. Même si cette raison peut sembler artificielle, la première impression suscitée par ces pièces me conduit à retenir Bursa comme lieu de provenance.

Une datation autour de 1600, peut-être même de la décennie qui précède, me paraît suffisamment proche de l'année 1585 figurant sur le document. Si cette mention d'archive n'était pas connue, la datation de 1600 que nous avançons s'accorderait bien avec ce que nous savons sur le développement du style ottoman à travers le témoignage de la céramique de forme et de la céramique de revêtement.

F. S.

TAPIS D'ANATOLIE À RINCEAUX SYMÉTRIQUES

Turquie centrale, XVIIe - XVIIIe siècle

187 x 84 cm

Berlin, Museum für Islamische Kunst, inv. I 6757,

don de Mme Olga Fritz, Wiesbaden, 1940

ANALYSE TECHNIQUE

- **Chaîne** : laine blanche, Z2S
- **Trame** : laine rouge, Z2
- **Velours** : laine, par endroits nœuds « offset », 1200 nœuds/dm^{2}

BIBLIOGRAPHIE

- Balpinar B., Hirsch U., *Teppiche*, 1988, pl. 32 et 43.

Ce tapis provincial, récemment « redécouvert » et aussitôt restauré, pose quelques problèmes d'interprétation. Erdmann l'avait publié avec un commentaire sommaire en 1940, en même temps que d'autres acquisitions et avait évoqué des influences caucasiennes sans pour autant les préciser. Grâce aux tapis villageois collectés au cours de ces deux dernières décennies, nous nous sommes accoutumés à ces formes distendues et n'y voyons plus automatiquement des influences caucasiennes. Une pièce anatolienne, provenant d'une mosquée indéterminée, mais conservée au Musée des Vakiflar d'Istanbul, nous aide à déchiffrer ce motif. Son petit médaillon central est, comme ici, entouré de lobes jaunes irréguliers. Il est encadré par une bande étroite formant un losange et plus loin, par un autre cadre plus large, formant un grand hexagone. Dans notre exemplaire, ce premier encadrement ne figure pas, la tisserande n'a retenu que le cadre le plus extérieur, constitué de longues feuilles étroites à terminaison crochue et qui dessinent sur le fond rouge une sorte de grande parenthèse octogonale, reprise immédiatement en haut et en bas du champ. Le jaune lumineux de ces bandes végétales se retrouve dans les deux exemplaires. Mais tandis que celui d'Istanbul jette sur son champ des rinceaux vaguement empruntés aux tapis d'Ouchak à médaillon, celui de Berlin adopte des tiges verticales rectilignes. De chaque côte du petit médaillon central, ces tiges portent des tulipes stylisées. Dans les parenthèses inférieures et supérieures, les tiges portent des sortes de petites clochettes difficiles à identifier. Nous nous refusons à y voir des oiseaux, comme nous l'avons déjà dit plusieurs fois, et privilégions l'interprétation florale qui s'accorde avec les tulipes du centre. Les trois boules posées en triangle, bleues dans la parenthèse inférieure, verdâtres dans la parenthèse supérieure, sont typiquement ottomanes.

Sur le remontage de ce fragment ne subsiste qu'une petite partie de la contre-bordure inférieure. On y décèle un motif en S, employé couramment à l'époque des tapis « Holbein ».

Dans ces tapis de village l'étude comparative des motifs ne repose sur rien de rigoureux, car ils ont été exécutés librement, sans carton. En revanche, l'examen des couleurs apporte plus de renseignements. Le vermillon intense, le jaune vif et le bleu profond indiquent un lieu de provenance bien circonscrit, même si le vert superbe de l'exemplaire d'Istanbul fait ici défaut. Nous aimerions proposer l'Anatolie centrale. Une date d'exécution au cours du XVIIe siècle n'est pas impossible, même si elle reste difficile à prouver.

F. S.

49

TAPIS À MÉDAILLON CENTRAL

Turquie occidentale (?), XVIe - XVIIe siècle

189 x 158 cm

Berlin, Museum für Islamische Kunst, inv. KGM 1886, 604,

achat du Kunstgewerbemuseum, 1886, ancienne collection, Wilhelm von Bode

ANALYSE TECHNIQUE

- **Chaîne** : laine blanche, filée Z2S
- **Trame** : laine rouge, filée Z2
- **Velours** : laine symétrique, 1160 nœuds/dm²

EXPOSITION

- *Ausstellung Orient-Teppiche*, Museum für Kunst und Gewerbe, Hambourg, 1950, n° 45.
- *Oosterse tapijten*, Stedelijk Museum « Het Prinsenhof » te Delft, Delft, 1948-1949, ill. 30, n° 80.

BIBLIOGRAPHIE

- Jacoby H., *Eine Sammlung orientalischer Teppiche*, Berlin, 1923, pl. 22.

Nous pourrions reprendre, à propos de cet exemplaire, le discours que nous avons tenu pour le n° 41 du catalogue.

Quatre fleurs de tulipe disposées en diagonale remplacent ici l'habituelle décoration du médaillon intérieur composée de quatre feuilles dentelées ; mais c'est bien là, la seule différence. Le bleu foncé du médaillon comme celui de la bordure à guirlande fleurie, le fond rouge du champ, le vert diapré des écoinçons, le jaune utilisé dans les motifs n'ont rien perdu, au fil des siècles, de leur intense luminosité. La spontanéité dans le traitement des formes et des couleurs signent cette pièce impressionnante.

Les deux autres exemplaires mentionnés à propos de l'exemplaire n° 41 du catalogue sont très similaires.

F. S.

FRAGMENT DE TAPIS VASE (?)

Perse, Kirman fin du XVIe, début du XVIIe siècle

142 x 141 cm

Lyon, musée des Tissus, inv. 31.091,

don de Charles Gillet, août 1956

ANALYSE TECHNIQUE

- **Chaîne** : coton blanc écru, filé Z4S
- **Trame** : trois passées, première et troisième en laine grise, filée Z2S ; trame médiane en soie rouge, filée Z2S
- **Velours** : laine, filée Z2S, nœuds persans, 3575 nœuds/dm²

Pas de lisières

BIBLIOGRAPHIE

- Beattie M. H., *Carpets of Central Persia*, Londres, 1976, p. 56-57.
- Bennett I., « Splendours in the City of Silk », *Hali*, n° 33, 1987, p. 44.

La grande bordure, à fond bleu nuit, est parée d'un riche décor végétal et animalier, composé de deux guirlandes festonnées, sur lesquelles s'ouvrent d'amples motifs floraux abritant en leur cœur des faons ou des cervidés. Des feuilles plumetées et des oiseaux sont dispersés à l'entour. Dans l'intervalle, s'inscrivent de menus rinceaux chargés de fleurettes et de feuillages. Le champ, de couleur vieux rose, est parsemé de rosettes, de lotus, de fleurs étoilées et de nuages. Ces motifs reposent sur des tiges curvilignes formant deux réseaux qui s'entrecroisent : bleu sombre pour le plus épais, vert clair pour le plus mince.

Ce fragment constitue l'angle inférieur droit d'un tapis de grande dimension. La singulière opulence de son thème de bordure par rapport à un champ élégamment décoré, mais beaucoup plus vide, a fait penser à May H. Beattie que le tapis devait porter au centre un médaillon central lui aussi décoré d'animaux et de végétaux très denses. Si l'hypothèse est exacte, le tapis, bien que fabriqué à Kirman, comme l'atteste sa facture, ne serait pas un tapis « vase », mais un tapis se rattachant au groupe des « Sanguszko ».

Quoi qu'il en soit, la souplesse du dessin, la finesse des détails, la polychromie des lignes de contour signalent une œuvre tôt venue, très proche du carton livré par les peintres et qui n'a pas encore subi la sclérose des rééditions. Une exécution vers la fin du XVIe siècle est donc possible. Le thème de la feuille ou de la fleur, meublée intérieurement d'une autre fleur ou d'une autre feuille sans rapport avec la première, est ancien en Orient. Les corolles florales qui tapissent le champ du tapis à médaillon proto-safavide de l'UCAD (cat.35) accusent déjà un traitement similaire. On notera aussi, dans la bordure, les feuilles plumetées percées d'un œil et qui ressemblent, de ce fait, à des poissons. Tout cela est un déni des formes immédiates données par la Nature. Ce sont des manifestations qui se situent sur un autre plan que celui du monde d'ici-bas et qui sont déjà, par le jeu des rinceaux qui les environnent ou des ambiguïtés qui les affectent, en instance de métamorphose ou de sublimation.

R. G.

FRAGMENT DE TAPIS « VASE »

Perse, Kirman, milieu du XVIIe siècle

596 x 400 cm

Lyon, musée des Tissus, inv. 25-385

ANALYSE TECHNIQUE

- **Chaîne** : coton blanc écru, filé Z4S
- **Trame** : trois passées, première et troisième en laine grise Z2S, tendues, trame médiane en soie rose ou ivoire, Z2S, très lâche
- **Velours** : laine, nœuds asymétriques, 4225 nœuds/dm^2

BIBLIOGRAPHIE

- Beattie M. H., *Carpets of Central Persia*, Londres, 1976, n° 41, p. 69.
- Bennet I., « Splendours in the City of Silk », *Hali*, n° 33, 1987, p. 46.

Ce fragment de près de six mètres de long devait appartenir à une pièce de très grand format, susceptible d'être étendue dans les rues ou les places publiques, à l'occasion des fêtes ainsi que l'ont signalé les voyageurs européens de l'époque. Sur le fond violet sombre s'étendent trois systèmes de treillis qui entrecoupent leurs ramures. Les deux plus importants portent d'amples fleurs au cœur repercé d'une autre fleur. Le troisième réseau est composé de fleurettes et de menus feuillages éclos sur de fins rinceaux. La bordure, monumentale, à fond orange, propose un double enchaînement d'écussons carmin et ivoire, s'entrelaçant en opposition. Un vase, reposant sur une corne d'abondance, est figuré en partie, à mi-hauteur des côtés latéraux du champ.

Le fond violet sombre, qui donne beaucoup de mystère au décor, est une rareté. Il ne se rencontre que dans un autre fragment de tapis « vase », conservé au Museum für Völkerkunde de Munich, éventuellement plus ancien. L'exemplaire de Lyon est très beau. Si la stylisation imprimée aux motifs indique une date d'exécution un peu tardive, vers le milieu du XVIIe siècle, elle exalte le caractère étrange de la composition. Elle fait « flotter », dans un entourage souvent évidé, le thème floral placé au centre des grandes corolles. Au même titre que les treillis qui s'entrecroisent sur des plans différents (le plus ténu se percevant à l'arrière), ces fleurs, s'ouvrant sur d'autres fleurs, guident le regard vers le fond du décor, vers le lieu des origines, et jouent en quelque sorte le rôle de ce que l'on appelle en arabe un *tawîl,* une exégèse, une reconduction vers le sens originel.

Un autre petit fragment du champ est conservé dans les réserves du musée de Lyon.

R. G.

TAPIS À « FEUILLES EN FORME DE FAUCILLES »

Perse, Kirman (?), période safavide, XVIe - XVIIe siècle

471 x 198 cm

Lisbonne, Museu Calouste Gulbenkian, inv. T. 66

ANALYSE TECHNIQUE

- **Chaîne** : coton écru, filé Z3S
- **Trame** : laine rosée filée Z2S et soie beige dorée Z2S, trois passées de trame entre chaque rangée de nœuds
- **Velours** : laine, nœuds asymétriques ouverts sur la gauche, 4200 nœuds/dm^2
- **Couleurs** : bleu foncé, turquoise, vert, jaune et rose

Sur un champ au fond bleu très foncé se déploie un décor végétal exubérant et dynamique composé de ramages, de palmettes, de grandes feuilles en forme de faucilles et de fleurs, à la riche polychromie. La bordure très étroite, au fond rouge, est habitée par une frise de spirales et de fleurs. Le décor de cette pièce est très original et rare. Fabriqué probablement dans un atelier de Kirman (?) au sud de la Perse, durant le règne du Châh Abbas Ier (1587-1629), ce magnifique tapis comporte, au centre du champ, une inscription presque imperceptible et difficile à déchiffrer. En 1972, R. Ettinghausen[1] a cru lire l'expression *Shahpasand* (?) - « par la grâce du roi » -, mais, plus récemment, Steven Cohen[2] a avancé l'hypothèse qu'il pourrait s'agir simplement du nom de celui qui l'a fabriqué ; *amal-e*... (« travail de... »). Cette inscription revêt une grande importance car, parmi les tapis persans de l'époque classique, rares sont ceux qui comportent des indications relatives à leur auteur.

Par sa technique, plus que par son dessin, cette pièce se rapproche des tapis de type « vase », puisqu'elle compte trois passages de trame entre chaque rangée de nœuds, la première et la troisième rangée étant de laine, la seconde de soie.

Au XVIe siècle, dans la Perse safavide, les tapis à médaillon étaient les plus cotés, mais à la fin du XVIe et au début du XVIIe siècle, on commença à apprécier les motifs floraux, les spirales et les palmettes, qui couvraient entièrement le champ. C'est le cas, par exemple, des tapis provenant de la Perse orientale et méridionale. Parmi ces derniers, on trouve les fameux tapis de type « vase » attribués à la région de Kirman et avec lesquels ce modèle possède de nombreux points communs.

Ce tapis, au côté d'autres pièces remarquables, couvrait le sol du « grand salon » dans la résidence de Calouste Gulbenkian, avenue d'Iéna. Il l'acheta lui-même à Londres en 1921.

M. F. P. L.

1 Ettinghausen, 1972, n° 30. **2** Cohen, 2001, p. 84.

53

TAPIS À DÉCOR DE VASE (FRAGMENT)

Perse, XVIIe siècle

127 x 120 cm

Berlin, Museum für Islamische Kunst, inv. KGM 1889, 136,

achat du Kunstgewerbemuseum par J. Lessing en Turquie, 1889

ANALYSE TECHNIQUE

- **Chaîne** : coton blanc, filé Z4S
- **Trame** : laine brune, filée Z2 (1er et 3e fils)
- **Velours** : laine, filée Z2 et Z3, nœuds persans (asymétriques), 4420/dm²
- **Revers** : après quatre rangées de nœuds sur la face, une rangée de nœuds à l'envers, non coupés, les brins de laine atteignant 15 à 25 mm de long. Pas de motif. Ce velours est de couleur brun orangé dans la zone du champ, de couleur bleu clair dans la zone de la bordure, et dépasse presque de 3 cm dans la portion du champ qui touche à la bordure.
Densité : 37 nœuds/dm², nœuds exécutés en même temps que le nouage du décor sur la face.

BIBLIOGRAPHIE

- Beattie M.H., *Carpets of Central Persia*, Londres, 1976, p. 75.
- Spuhler F., *Oriental Carpets in the Museum of Islamic Art, Berlin*, Washington D.C., 1987, n° 87.

Si on en juge par leur composition décorative, les tapis de type « vase » forment le groupe le moins homogène des tapis safavides. Toutefois, si l'on examine leurs motifs floraux, leur palette et leur facture, ils constituent bel et bien un ensemble, comme s'ils portaient la signature du même atelier. Notre fragment appartient à un tapis dont le champ est divisé en plusieurs fonds de couleur. Ces fonds en losanges sont séparés les uns des autres par de longues feuilles dentelées en forme de bandes. Un seul de ces losanges à fond sombre subsiste intégralement ici, à l'exception de sa pointe inférieure. Il est meublé de quatre grandes corolles disposées en croix sur un fond bleu nuit. À gauche, un vase apparaît à moitié. Il est figuré à la renverse, par rapport au sens du tissage de la pièce. Pansu comme une grenade, il est posé sur une corne d'abondance. À en juger par la fréquence de cette soit-disant « erreur » dans les tapis « vase » de première qualité, il est clair qu'elle tient à des habitudes tisserandes.

Il subsiste assez d'éléments de la bordure pour pouvoir attribuer celle-ci au type le plus fréquemment utilisé dans les tapis de type « vase ». Des grappes de fleurs à neuf ou seize boutons alternent avec des corolles posées en diagonale.

À côté de sa palette, notre tapis a une autre particularité : son revers comporte aussi des mèches de laine nouées formant un velours non coupé et non décoré : ce qui accroît considérablement son moelleux et sa valeur comme marchandise de luxe. S'y asseoir, ou marcher sur sa surface, devait être le *summum* du confort. Il faut supposer que ce tapis était destiné à recouvrir un sol de pierre si l'on veut expliquer l'introduction de cette technique à fonction isolante. Nous ne connaissons qu'un petit nombre de fragments présentant un velours sur les deux faces et il s'agit toujours de fragments de tapis « vase ».

F. S.

TAPIS DE TYPE « VASE »

Perse, Kirman (?), période safavide, XVIIe - XVIIIe siècle

375 x 333 cm

Lisbonne, Museu Calouste Gulbenkian, inv. T. 102

ANALYSE TECHNIQUE

- **Chaîne** : coton écru, filé Z4S
- **Trame** : laine beige foncée filée Z3S et coton bleu filé Z3S, trois passées de trame entre chaque rangée de nœuds
- **Velours** : laine, nœuds asymétriques ouverts sur la gauche, 4200 nœuds/dm²
- **Couleurs** : divers tons de bleu, rose, jaune, vert et blanc

Comme son nom l'indique, ce tapis à la riche polychromie sur fond rouge, se caractérise par un décor floral très dense placé entre des motifs géométriques, en forme de losange. Le décor occupe tout le champ et représente de grands vases en porcelaine de Chine (?) contenant des fleurs placé le long d'axes longitudinaux. Comme d'habitude dans les pièces de ce type, l'étroite bordure est meublée de rosettes et de palmettes qui alternent avec des treilles, de forme carrée, contenant de petites fleurs.

Considérée par certains comme les modèles les plus réussis de l'époque de la Perse safavide, les tapis de type « vase » étaient en principe fabriqués au sud de la Perse, plus précisément dans la région de Kirman.

Ils sont habituellement longs et étroits. Mais cette pièce, sans doute parce qu'elle a été coupée, est presque carrée ; le champ est entouré, comme de coutume, par une bordure qui n'est pas très large et elle est entourée par des bandes d'encadrement étroites.

Ces tapis comprennent une grande variété de fleurs, dont certaines de taille imposante. Durant le XVIIe siècle on retrouve aussi cette diversité dans des *azulejos* (carreaux de faïence) et des peintures murales qui s'inspirent de compositions employées déjà dans des tissus de soie au siècle précédent. Selon May H. Beattie[1], ce type de composition commence à disparaître en Perse au XVIIIe siècle, mais se poursuit dans la production du Caucase, avec des formes cependant plus géométriques.

Cette pièce, qui a appartenu à la collection Burat, a été achetée par Calouste Gulbenkian à Paris en juin 1937 lors de la vente de cette collection.

M. F. P. L.

1 Beattie, 1972, p. 17.

FRAGMENT DE TAPIS « VASE » À TREILLIS EN AMANDES

Perse centrale, Kirman, XVIIe siècle

315 x 118 cm

Paris, musée des Arts décoratifs, inv. 27656

ANALYSE TECHNIQUE

- **Chaîne** : coton filé Z4S
- **Trame** : trois passées ; la première et la troisième en laine grise, filée Z2S, sont très tendues. La médiane, plus lâche est en coton blanc ; elle a presque totalement disparue.
- **Velours** : laine, nœuds persans ouverts sur la gauche, 3600 nœuds/dm²

Lisières prises dans un tissu d'encadrement

BIBLIOGRAPHIE

- Ellis Ch.G., *Oriental Carpets, Philadelphia Museum of Art*, Londres, 1988, p.194.

Le champ est divisé par un vaste treillis dont le réseau en amandes, constitué de longues feuilles plumetées, s'étend de manière continue. Ce premier réseau est entrecroisé par un autre réseau végétal de même dessin mais qui porte des fleurs fantastiques abritant en leur cœur d'autres corolles. Un dernier maillage très fin est donné par de minces rinceaux fleuris. Chaque grande amande contient son propre fond de couleur, soit brun kaki, blanc ivoire, rose ponceau, jaune moutarde ou bleu nuit. Un vase, reposant sur des cornes d'abondance, apparaît dans la deuxième mandorle, au bas du fragment, et c'est ce motif qui a valu à ces tapis floraux, le nom de tapis « vase ». La grande bordure, à fond bleu sombre, ici partiellement figurée, porte différents thèmes de branches fleuries. Pas moins de dix-sept teintes concourent à l'exécution du décor.

Ce fragment constitue la partie supérieure droite[1] d'un tapis de grand format probablement trois fois plus long et deux fois plus large. The Philadelphia Museum of Art possède un fragment proche du nôtre mais qui ne semble pas appartenir à la même pièce. Quoi qu'il en soit, le décor est d'une grande élégance, même s'il représente une version postérieure à celle dénuée de tout fractionnement en amandes et qui est la plus connue. La facture, à trois passées de trame et deux niveaux de chaîne, est caractéristique des ateliers de Kirman.

Ces grands maillages de fleurs, dont la mode a été lancée sous le règne de Châh Abbas, ne sont pas purement décoratifs, même s'ils proposent une image au symbolisme moins affirmé que celui des tapis à médaillon central. Mais ces ramures qui s'entrecroisent derrière lesquelles s'entrecroisent d'autres tiges, puis d'autres encore, renvoient au concept traditionnel des réseaux célestes superposés comme ceux qui entraient dans la construction d'une sphère armillaire et qui, de degré en degré, reconduisent au monde du *Lahût*. D'ailleurs, ces fleurs percées intérieurement d'autres fleurs peuvent se regarder comme des Nombres et engagent une lecture du décor dans le sens de la profondeur.

R. G.

1 À vrai dire, c'est la partie supérieure droite du décor, mais pas du tapis qui, lui, a été tissé en sens inverse.

56

TAPIS YOMOUD

Iran ou Turkménistan, XVIIIe siècle

140 x 239 cm

New York, The Metropolitan Museum of Art, The James F. Ballard Collection, don de James F. Ballard, 1922, inv. 22.100.44

ANALYSE TECHNIQUE

- **Chaîne** : laine beige, filée
- **Trame** : laine
- **Velours** : laine, nœuds turcs (symétriques), 1511 nœuds/dm²

EXPOSITION

- *Turkmen: Tribal Carpets and Traditions*, Washington D. C., 1980, pl. 62, p. 146.

La plupart des tapis turkmènes qui nous sont parvenus sont relativement récents ; ils ne sont pas antérieurs au XIXe siècle. Les pièces de grand format sont décorées par des agencements réguliers de motifs en forme de médaillon que l'on appelle des « güls » et dont le dessin précis et les détails internes sont mis en relation avec telle ou telle tribu. Le « tapis Ballard » présenté ici est une pièce rare et particulièrement significative puisqu'elle illustre une phase primitive de l'évolution du décor. Sur toute la hauteur de la pièce, la partie centrale du champ, ornée de grands motifs, est affectée d'une distorsion due à la disparition, par découpage, d'une bande de plusieurs centimètres. Les zones latérales sont heureusement intactes et on peut y voir, à trois reprises, de curieux médaillons de type « güls » qui représentent un stade de transition entre de grands motifs végétaux, comme ceux que l'on trouve sur les tapis caucasiens ou persans du XVIIIe siècle, et les différents « güls » de type géométrique qui figurent dans les pièces Yomoud du XIXe siècle (cat. 57).

D. W.

57

TAPIS YOMOUD

Iran ou Turkménistan, fin XVIIIe ou début XIXe siècle

175,2 x 266,6 cm

New York, The Metropolitan Museum of Art, legs de Joseph V. McMullan, 1973, inv. 1974.149.44. Ancienne collection Amos Thatcher

ANALYSE TECHNIQUE

- Velours : laine sur structure en laine et coton, nœuds turcs (symétriques), 2232 nœuds/dm²

EXPOSITION

- *Islamic Carpets from the Joseph V. McMullan Collections*, Hayward Gallery, Londres, 1972.

BIBLIOGRAPHIE

- *15th - 18th Century Rugs, The Private Collection of Messrs. Vitall & Leopold Benguiat*, catalogue de vente, American Art Association, 4 et 5 décembre 1925, n° 40.
- McMullan, J. V., *Islamic Carpets*, New York, 1965, n° 67, p. 230-231.

Nous avons ici un exemple classique de tapis Yomoud orné de rangées de « güls » à contour de feuille ciselée, adoptant diverses combinaisons de couleurs. Ces « güls » octogonaux contiennent deux entourages portant des petits motifs en C disposés autour d'un carré central. On trouve une version plus ancienne de ce type de « gül », dérivant en dernière analyse d'un motif de feuille dentelée, dans le célèbre Yomoud Ballard exposé ici (cat. 56). Le tapis présente d'autres traits curieux, comme ce petit motif en quatre rosettes disposées en losange parsemant les côtés latéraux du champ, ou comme ces deux contre-bordures, d'une largeur inhabituelle, et qui sont ornées de pointes lancéolées en construction réciproque et qui s'apparentent à un thème fréquemment utilisé dans les tapis safavides du XVIIe siècle. Les motifs en forme de « bateau » qui figurent sur la bordure principale dérivent d'un motif de palmette qui apparaît sur les bordures des tapis caucasiens du XVIIIe siècle.

D. W.

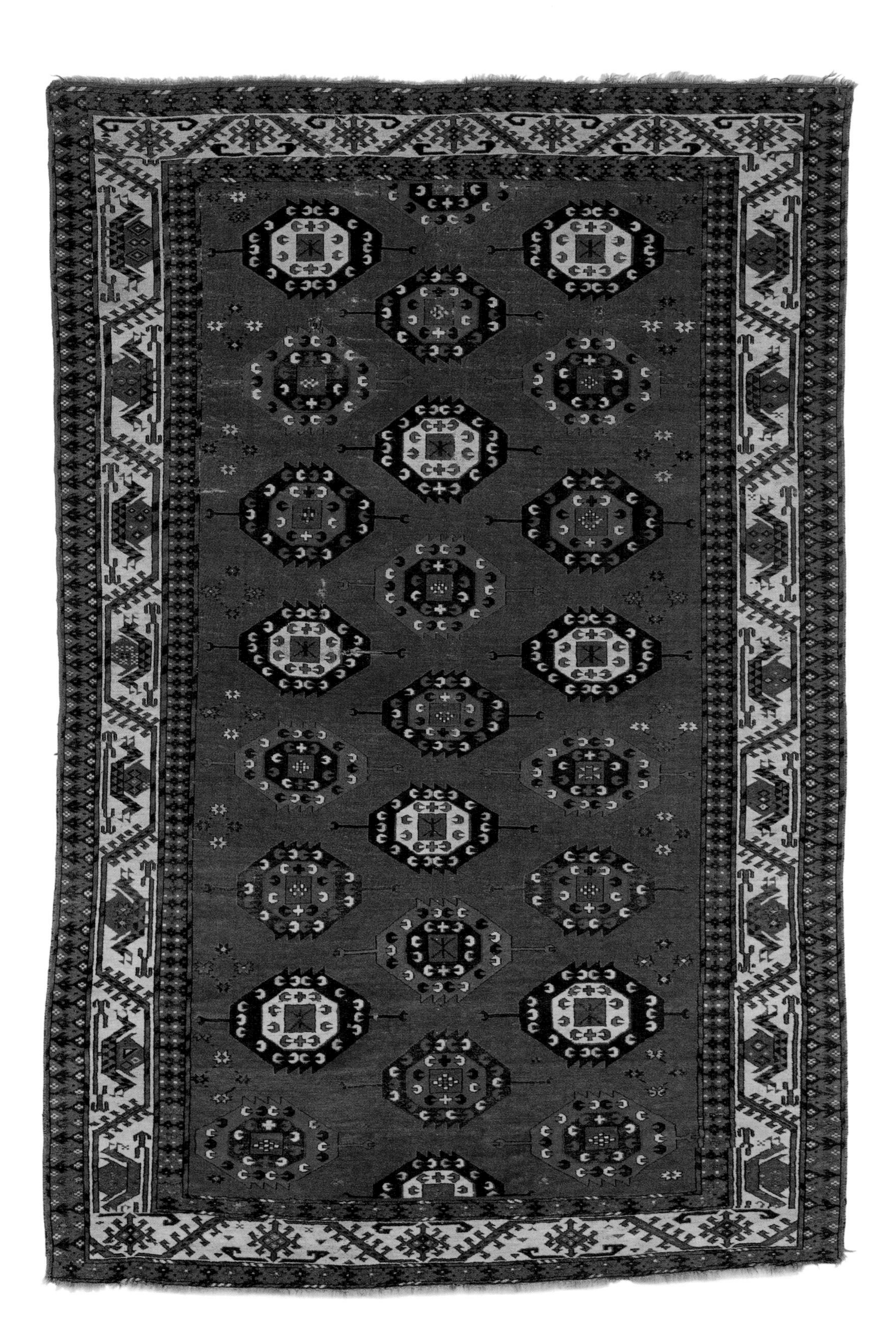

LA CONSERVATION D'UN TAPIS

Carole Chiron*

Lorsqu'un objet textile, tel qu'un tapis est confié à Chevalier Conservation, notre premier travail est de réaliser un constat d'état, d'établir un diagnostic. Cette première approche nous permet de l'observer, de l'analyser. C'est aussi le moment où une discussion peut s'installer entre le restaurateur et la personne responsable de la collection. Cette communication est importante car, connaître les conditions d'exposition (vitrine, accrochage, lumière...) et les souhaits du conservateur, est essentiel pour préconiser le meilleur traitement. Celui-ci est aussi dicté par l'unique volonté de respecter au mieux la déontologie en matière de restauration d'œuvres d'art, qui est :

- respecter l'authenticité de l'œuvre,
- stopper les dégradations,
- assurer la réversibilité des interventions sans jamais perdre de vue l'esthétique et la lisibilité de l'œuvre.

Le tapis est documenté de façon approfondie. Cette documentation comprend :

- une analyse des fibres (les prélèvements sont faits sur l'envers du tapis),
- des tests sur la tenue des colorants, tests qui permettront ou non d'envisager un nettoyage en milieu aqueux (le programme de nettoyage se fait en fonction du résultat),
- une étude sur les différentes techniques de tissage employées,
- et enfin, un reportage photographique complet et précis.

LE NETTOYAGE

Une opération de nettoyage n'est pas anodine pour un matériau organique âgé. C'est une contrainte considérable exercée sur les fibres et dont les effets peuvent être irréversibles. Cette opération est décidée au cas par cas. La prise de position est subjective, c'est pourquoi elle doit être arrêtée après étude sérieuse. Elle dépend des sensibilités de chacun, de la perception de l'objet physique, du tissage ancien plus ou moins recouvert de matières non textiles, et de l'objet lui-même porteur d'un long et complexe message technique, culturel, cultuel… Les différentes possibilités techniques de nettoyage peuvent compliquer davantage la situation.

L'aspiration :
Elle est entreprise sur toute la surface du tapis (endroit, envers) où des pièces de tulle peuvent être cousues en fonction des parties fragiles faisant ainsi un écran de protection. Cette opération est effectuée avec un appareil à aspiration modulable. Le tapis est enroulé sur son envers et dans le sens des nœuds au fur et à mesure de l'avancement de l'aspiration.

L'humidification générale :
Elle est faite en enceinte close sur table aspirante. L'objet est posé sur le tamis. L'action consiste à souffler de l'air au lieu de l'aspirer, ce qui crée une bulle au-dessus du tapis. L'humidité est introduite dans cette enceinte.

L'humidification partielle :
Elle est réalisée à l'aide d'un humidificateur à ultrasons et à vapeur d'eau froide. L'objet est placé à plat, les chaînes dénudées de nœuds, de tissage, et déformées par des reprises, sont mises sous tension en les épinglant avant et pendant le traitement. Puis les épingles sont retirées quand les chaînes sont sèches.
Qu'elle soit partielle ou générale, une humidification atténue, améliore, mais supprime rarement les déformations.

Le nettoyage par brumisation :
Grâce à l'innovation de Chevalier Conservation, le nettoyage se fait désormais au moyen d'une installation unique au monde, reposant sur l'emploi de la nébulisation et des techniques les plus avancées, permettant de maîtriser le nettoyage avec une sécurité accrue.

Ces mesures prises, le tapis peut être déroulé sur un tamis tissé de fibres de verre téflonné et soumis à la nébulisation. Les différentes phases du traitement sont sélectionnées et personnalisées.

* Chef de projet de Chevalier Conservation, Aubusson.

LA CONSERVATION

Le tapis étant sec, le travail proprement dit de conservation peut commencer. En matière de conservation d'objets textiles, il n'y a pas de gestes, de matériaux, de techniques systématiques. Mais la méthode la plus usitée, concernant la conservation des tapis, reste la technique d'apport de tissus teints.
En effet, lorsqu'un tapis pose des problèmes de lacunes, pertes de trame ou de grande fragilité, un support, général ou ponctuel, en fibres cellulosiques ou protéiniques, est teint en harmonie avec la partie lacunaire ou avec la couleur dominante du tapis. Le lin est la fibre cellulosique la plus souvent choisie, en raison de sa bonne ténacité, de sa sensibilité aux changements atmosphériques comparable à celle des différents matériaux entrant dans le tissage du tapis, de la souplesse de son armure et de la compatibilité des différents grains de tissage et textures proposés par les fabricants avec la texture du tapis. Ce support textile est placé sur l'envers et des points de conservation sont faits pour renforcer des endroits fragiles ou lacunaires. Ce travail peut être réalisé sur table ou sur métier de restauration. Ce choix se fera selon l'étendue, l'aspect des dégradations (lacunes, pertes de trame...).

La consolidation sur table :
Le tapis est posé sur des tables amovibles mises aux dimensions de l'objet. Le support textile général ou partiel est placé et bâti sous l'objet. Les points de conservation seront faits avec une aiguille courbe choisie en fonction de la texture du tissage.

La consolidation sur métier :
La toile de support général est cousue sur la première et deuxième ensouple du métier de restauration. Le tapis est monté sur la première et la troisième ensouple. La toile et le tapis sont roulés simultanément et leur tension peut être réglée indépendamment. Si les apports de tissus teints ne sont que ponctuels, ils seront positionnés sous le tapis au fur et à mesure de l'avancement du travail.

fig. 1 et fig. 2
Exemple de conservation par application de canevas sur un tapis de la collection du musée Cernuschi, Paris (avant et après).

Les points effectués peuvent être soit des points de Boulogne, soit des points en quinconce. Ce choix est déterminé en fonction de la partie à traiter. Ces apports de tissu ou patchs « illusionnistes » et ces points de conservation permettent de rétablir une lisibilité à un manque, tout en consolidant une partie fragilisée, mais en aucun cas, ne recrée le tissage. Cette technique est totalement réversible.
Une lecture plus précise peut aussi être recréée lorsqu'il existe un manque conséquent et si le motif absent peut se retrouver à un autre endroit sur le tapis ou sur un tapis similaire. Le dessin est relevé et les couleurs sont teintes. Un canevas est découpé aux dimensions du manque. Le motif y est reproduit en tenant compte des fibres d'origine

(laine, soie...). Le canevas est ensuite appliqué sur une toile en fibres naturelles qui est elle-même maintenue par des points de conservation, sur l'envers du tapis, à l'endroit lacunaire. Chaque partie reste indépendante l'une de l'autre.
L'étape de la réalisation du canevas peut être remplacée par le retissage, de même facture que le tapis, de la partie manquante, par exemple pour un tapis de savonnerie.

La conservation par impression pigmentaire :
L'ultime technique (la plus récente aussi) réalisée dans les ateliers de Chevalier Conservation à Aubusson est la sérigraphie. Un relevé des différents manques du tapis est réalisé, puis reporté sur une toile décatie en fibres naturelles. La pâte d'impression est faite en fonction de la couleur dominante des différentes lacunes, puis elle est appliquée afin de recouvrir les pochoirs préalablement découpés. Cette opération est renouvelée pour chaque motif et chaque couleur.
Le tissu sérigraphié est placé sous le tapis, des points de consolidation sont effectués autour des parties dégradées, ainsi que des lignes de maintien sur l'ensemble du tapis afin de répartir de manière homogène les différentes tensions. Un point d'ourlet est fait sur les quatre côtés du tapis.

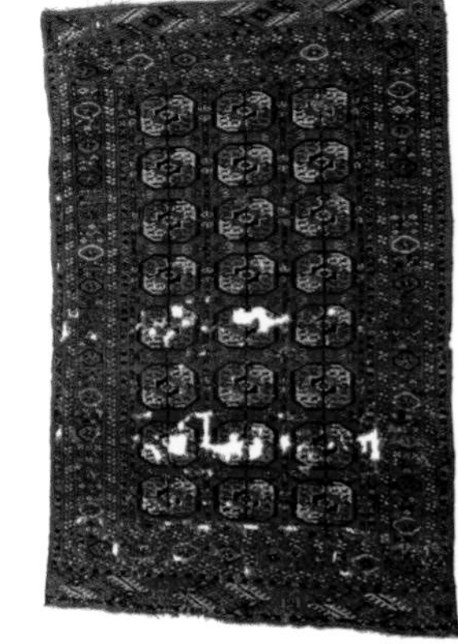

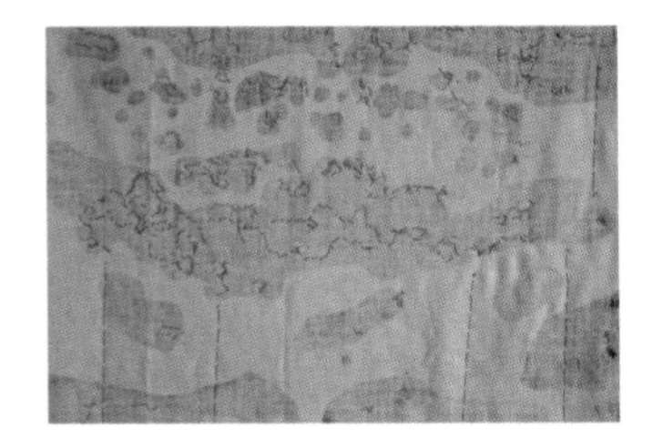

fig.3 et fig. 4
Exemple de conservation par la technique de la sérigraphie sur un tapis du musée Francisque Mandet, Riom (face et détail du revers).

Le doublage :
Il est peu recommandé de faire un doublage sur un tapis, car son poids déjà important serait accru, sauf si le tapis est extrêmement usé, déformé. Un doublage permet alors de supporter et de répartir, grâce à des lignes de maintien, les différentes tensions, exercées sur l'objet. Cela est plus facilement proposé pour un tapis qui n'a qu'un support textile ponctuel. La toile de doublage choisie est la plus légère possible et elle est décatie. Afin de conserver un accès à l'envers, une « fenêtre » peut être pratiquée dans la doublure et la toile de support, ce qui laisse possible une étude ultérieure des couleurs, des teintures...

L'ACCROCHAGE

Le système d'accrochage le plus fiable et qui peut supporter des poids aussi conséquents, est la bande auto-agrippante de type « velcro® » cousue sur une sangle de coton décatie. Un tapis n'a pas forcément de sens de lecture proprement dit, puisqu'il est un objet faisant partie du mobilier et placé au sol. Son sens d'accrochage se fait alors en fonction du nœud.
Tout tapis est un objet unique et le travail de conservation ne peut se décider qu'au cas par cas. Les opérations décrites ci-dessus ne doivent pas être appliquées de façon systématique. C'est, avant tout, l'histoire du tapis, son état de conservation, le lieu où il sera exposé, qui dictent les choix des traitements et l'attitude du restaurateur.

BIBLIOGRAPHIE

OUVRAGES GÉNÉRAUX

❖ **Alexander, 1993**
Alexander C., *A Foreshadowing of 21st Century Art : The Color and Geometry of very Early Turkish Carpets*, New York, Oxford, 1993.

❖ **Azeredo Perdigão, 1969**
Azeredo Perdigão J. de, *Calouste Gulbenkian Coleccionador*, Fondation Calouste Gulbenkian, Lisbonne, 1969.

❖ **Balpinar - Hirsch, 1982**
Balpinar B., Hirsch U., *Flatweaves ot the Vakiflar Museum, Istanbul*, Wesel, 1982.

❖ **Balpinar - Hirsch, 1988**
Balpinar B., Hirsch U., Carpets of the Vakiflar Museum, Istanbul, Wesel, 1988.

❖ **Barrucand - Bednorz, 1992**
Barrucand M., Bednorz A., *L'Architecture maure en Andalousie*, Cologne, 1992.

❖ **Beattie, 1972**
Beattie M. H., *The Thysen-Bornemisza Collection of Oriental Rugs*, Castagnola, Ticino, 1972.

❖ **Beattie, 1976**
Beattie M. H., *Carpets of Central Persia*, Londres, 1976.

❖ **Beattie, 1976**
Beattie M. H., *Carpets of Central Asia*, Sheffield, 1976.

❖ **Beattie, 1976**
Beattie M. H., « Some Rugs of the Konya Region », *Oriental Art Magazine*, vol. 22, 1976, ill. 6 et 26.

❖ **Bennett, 1987**
Bennett I., « Splendours in the City of Silk », *Hali*, n° 33, janvier-mars 1987, p. 44.

❖ **Bennett, 1987**
Bennett I., « Splendours in the City of Silk », *Hali*, n°35, juillet-septembre 1987, p. 37.

❖ **Bennett, 1994**
Bennett I., « The Alexander Collection : Part 2, A Carpet is a Picture of God », *Hali*, n° 74, 1994, p. 86-95.

❖ **Berliner Museen, 1937**
Berliner Museen, *Berichte aus den Preussischen Kunstsammlungen*, Berlin, 1937.

❖ **Benardout, 1978**
Benardout R., *Caucasian Rugs*, Londres, 1978.

❖ **Bernheimer, 1959**
Bernheimer O., *Alte Teppiche des 16. bis 18. Jahrhunderts der Firma L. Bernheimer*, Munich, 1959.

❖ **Bode, 1892**
Bode W. von, « Ein altpersischer Teppich im Besitz der Königlichen Museen zu Berlin. Studien zur Geschichte der westasiatischen Knüpfteppiche », *Jahrbuch der Königlichen Preußischen Kunstsammlungen*, n° 13, 1892, p. 26-49 et p. 108-137.

❖ **Bode, 1902**
Bode W. von, « Vorderasiatische Knüpfteppiche aus älterer Zeit », *Monographien des Kunstgewerbes*, Leipzig, sans date (1902).

❖ **Bode, 1911**
Bode W. von, *Anciens Tapis d'Orient*, traduction française de Gromaire G., Paris, sans date (1911).

❖ **Bode, 1997**
Bode W. von, *Mein Leben*, Gaehtgens T. W. et Paul B. (éd.), texte vol. 1 et commentaires vol. 2, Berlin, 1997.

❖ **Bode - Kühnel, 1914**
Bode W. von, *Vorderasiatische Knüpfteppiche aus älterer Zeit*, 2e édition revue et complétée par Kühnel E., Leipzig, 1914.

❖ **Bode - Kühnel, 1984**
Bode W. von, Kühnel E., *Antique Rugs from the Near East*, Ithaca, New York, 1984.

❖ **Boralevi, 1988**
Boralevi A., « The Bardini Persian Floral Medallion Carpet », *Hali*, n° 39, mai-juin 1988, p. 14-15.

❖ **Borrmann, 1898-1899**
Borrmann R., « Ausstellung der Ergebnisse der orientalischen Forschungsreisen des Herrn Dr. F. Sarre im Kgl. Kunstgewerbemuseum in Berlin », *Kunstchronik*, N.F. 10, 1898-1899, n° 20, 30, mars 1899, p. 305-309.

❖ **Briggs, 1940**
Briggs C., « Timurid Carpets, 1 : Geometric Carpets », *Ars Islamica*, n° 7, 1940, p. 20 *sq*.

❖ **Briggs, 1946**
Briggs C., « Timurid Carpets, 2 : Arabesque and Flower Carpets », *Ars Islamica*, n° 11-12, 1946, p. 146 *sq*.

❖ **Burckhardt, 1976**
Burckhardt T., *Art of Islam : Language and Meaning*, Westernham, Kent, 1976.

❖ **Chardin, 1735**
Chardin J., *Voyages du Chevalier Chardin en Perse et autres lieux d'Orient*, Amsterdam, nouv. éd. 1735.

❖ **Cohen, 2001**
Cohen S., « Safavid and Mughal Carpets in the Gulbenkian Museum, Lisbon », *Hali*, n° 114, 2001, p. 75-85.

❖ **Dall'Oglio, 1985**
Dall'Oglio M. et C., « A Discovery at Sion », *Hali*, n° 27, 1985, p. 36-39.

❖ **Daumas, 1987**
Daumas H., « The Magician of Rochefort », *Hali*, n° 36, 1987, p. 29-35.

❖ **Day, 1996**
Day S. et *al.*, *L'Art du tapis dans le monde*, Paris, 1996.

❖ **Day, 2003**
Day S., « Orientalist Painting. The Artist's Eye, Carpet and Textile Collections of the Orientalists », *Hali*, n° 126, 2003, p. 92-104.

❖ **Dimand-Mailey, 1978**
Dimand M.S., Mailey J., *Oriental Rugs in the Metropolitan Museum of Art*, New York, 1978.

❖ **Eiland, 1985**
Eiland M., « Early Carpets in the Fine Arts Museums of San Francisco », *Oriental Carpet and Textile Studies*, vol. 1, 1985.

❖ **Ellis, 1975**
Ellis Ch. G., *Early Caucasian Rugs*, Textile Museum, Washington D.C., 1975.

❖ **Ellis, 1988**
Ellis Ch. G., *Oriental Carpets, Philadelphia Museum of Art*, Londres, 1988.

❖ **Enderlein, 1967**
Enderlein V., *Ein kleinasiatischer Teppich aus der Zeit um 1500*, Fuß, 1967.

❖ **Enderlein, 1995**
Enderlein V., *Wilhelm von Bode und die Berliner Teppichsammlung*, Berlin, 1995.
❖ **Erdmann, 1966**
Erdmann H., *Orientteppiche, 16.-19. Jahrhundert*, Kestner-Museum, Hanovre, 1966.
❖ **Erdmann, 1938**
Erdmann K., « Kairener Teppiche, 1, europäische und islamische Quellen des 15.-18. Jahrhunderts », *Ars Islamica*, n° 5, 1938, p. 179 *sq*.
❖ **Erdmann, 1940**
Erdmann K., « Kairene Teppiche, 2 : Mameluken und Osmanenteppiche », *Ars Islamica*, n° 7, 1940, p.53-81.
❖ **Erdmann, 1955**
Erdmann K., *Der orientalische Knüpfteppich, Versuch einer Darstellung seiner Geschichte*, Tübingen, 1955, 1960, 1965 et 1975.
❖ **Erdmann, 1959**
Erdmann K., « Besprechung Kühnel, Cairene Rugs », *Orient,* 1959, p. 228.
❖ **Erdmann, 1962**
Erdmann K., *Europa und der Orientteppich,* Berlin, 1962.
❖ **Eskenazi, 1994**
Eskenazi J., « The Alexander Collection : Part 1, The Weaving as a Liturgy », *Hali*, n° 74, 1994, p. 81-85.
❖ **Ettinghausen, 1972**
Ettinghausen R., *Arte da Pérsia Islâmica na Colecção Calouste Gulbenkian*, Fondation Calouste Gulbenkian, Lisbonne, 1972.
❖ **Ettinghausen,1974**
Ettinghausen R. *et al.*, *Prayer Rugs,* Washington D.C., 1974.
❖ **Frances, 1993**
Frances M., « The "Historical" Carpets from Anatolia », *Orient Stars: a Carpet Collection,* Stuttgart, Londres, 1993, n° 403, p. 277-283.
❖ **Gilles, 1997**
Gilles R., « Le Soleil proposé en énigme », *Revue du Louvre,* n° 4, 1997.
❖ **Gulbenkian, 1891**
Gulbenkian C. S., *La Transcaucasie et la péninsule d'Apchéron, souvenirs de voyage*, Paris, 1891.
❖ **Gulbenkian, 2001**
Museu Calouste Gulbenkian, album, Fondation Calouste Gulbenkian, Lisbonne, 2001.
❖ **Jacoby, 1923**
Jacoby H., *Eine Sammlung orientalischer Teppiche*, Berlin, 1923.
❖ **Khatibi, Amahan, 1995**
Khatibi A., Amahan A., *Du signe à l'image,* Casablanca, 1995.
❖ **König, 1993**
König H., « Spoilt for Choice », *Hali,* n° 71, 1993, p. 98.
❖ **Kühnel, 1930**
Kühnel E., « Ein neuerworbener Holbeinteppich », *Berliner Museen,* 1930, p. 140-145.
❖ **Kühnel - Bellinger, 1953**
Kühnel E., Bellinger L., *Catalogue of Spanisch Rugs, 12th Century to 19th Century*, The Textile Museum, Washington D.C., 1953.
❖ **Kühnel - Bellinger, 1957**
Kühnel E., Bellinger L., *Cairene Rugs and Others Technically Related, 15th Century to 17th Century,* The Textile Museum, Washington D.C., 1957.
❖ **Lamm, 1985**
Lamm C., *Carpet Fragments : the Marby rug and some fragments of carpet found in Egypt,* Stockholm, 1985.
❖ **Lessing, 1877**
Lessing J., *Altorientalische Teppichmuster nach Bildern und Originalen des 15.-16. Jahrhunderts*, Berlin, sans date (1877).
❖ **Martin, 1908**
Martin F.R., *A History of Oriental Carpets before 1800*, Vienne, 1908.
❖ **McMullan, 1965**
McMullan J.V., *Islamic Carpets,* New York, 1965.
❖ **Mills, 1983**
Mills J., *Carpets in Paintings*, Londres, 1983.
❖ **Mills, 1986**
Mills J., « Near Eastern Carpets in Italian Paintings », *Oriental Carpet and Textile Studies*, vol. 2, Londres, 1986, p. 109-121.
❖ **Mills, 1988**
Mills J., « Connoisseur's Choice: the Ballard Ushak Prayer Rug », *Hali*, n° 37, janvier-février 1988, p. 14-15.
❖ **Mills, 1991**
Mills J., « The "Bellini", "Keyhole or Re-entrant" Rugs », *Hali,* n° 58, 1991, p. 86-103.
❖ **Orientalische Teppiche, 1982**
Orientalische Teppiche, K.K. Österreichisches Handelmuseum, 3 vol., Vienne, 1892.
❖ **Passos Leite, 1985**
Passos Leite M.-F., *Tapetes Orientais* (album), Colecção Calouste Gulbenkian, musée Calouste Gulbenkian, Lisbonne, 1985.
❖ **Pinner - Franses, 1978**
Pinner R., Franses M., « Caucasian Shield Carpets », *Hali*, vol.1, 1978, p. 4-22.
❖ **Pinner - Franses, 1980**
Pinner R., Franses M., « The Turkoman Collection », *Hali*, vol. 2, n° 4, 1980, p. 303-304.
❖ **Pinner - Franses, 1981**
Pinner R., Franses M., « The East Mediterranean Carpets Collection in the Victoria and Albert Museum », *Hali*, vol. 4, n° 1, 1981, p. 45.
❖ **Pinner - Franses, 1984**
Pinner R., Franses M. « The "Classical" Carpets of the 15th to 17th Centuries », *Hali*, vol. 6, n° 4, 1984, p. 355-381.
❖ **Pope - Ackermann, 1938-1939**
Pope A. U., Ackermann Ph., *A Survey of Persian Art from Prehistoric Times to the Present*, Londres, New York, 1938-1939.
❖ **Riefstahl, 1931**
Riefstahl R. M., « Primitive Rugs of the "Konya" Type in the Mosque of Beyshehir », *The Art Bulletin*, vol. 13, n° 2, 1931, ill. 22.
❖ **Rageth, 1999**
Rageth J., *Anatolian Kilims & Radiocarbon Dating*, Riehen, 1999.
❖ **Robinson, 1976**
Robinson B. (éd.), *Islamic Painting and the Arts of the Book in the Keir Collection*, 1976.

❖ **Roux, 1975**
Roux J. P., « Dieu dans le Kitab-I-Dede Korkut »
Revue des Études islamiques, 43/1,1975, p. 123-140.
❖ **Roxburgh, 2000**
Roxburgh D. J., « Au Bonheur des Amateurs : Collecting and Exhibiting Islamic Art, ca. 1880-1910 », *Ars Orientalis,* n° 30, 2000, p. 9-38.
❖ **Sarre, 1903**
Sarre F., « Die Ausstellung muhammedanischer Kunst in Paris »,
Repertorium für Kunstwissenschaft, n° 26, 1903, p. 521-533.
❖ **Sarre, 1908**
Sarre F., *Altorientalische Teppiche*, édité par le K.K. Österreichischen Museum für Kunst und Industrie, 1908 (supplément au livre de 1892).
❖ **Sarre, 1910**
Sarre F., *Denkmäler Persischer Baukunst*, Berlin, 1910.
❖ **Sarre - Martin, 1912**
Sarre F., Martin F. R., *Die Ausstellung von Meisterwerken muhammedanischer Kunst in München 1910*, 3 vol. et 1 supplément, Munich, 1912.
❖ **Sarre, 1921**
Sarre F., « Die ägyptische Herkunft der sogen. Damaskus-Teppiche »,
Zeitschrift für bildende Kunst, vol. 32, 1921, p. 75-82.
❖ **Sarre - Migeon, 1930**
Sarre F., Migeon G., *Kunstwanderer,* n° 12, 1930, p. 101.
❖ **Sarre - Trenkwald, 1926**
Sarre F., Trenkwald H., *Altorientalische Teppiche*, 1 et 2,
Vienne, 1926 et 1928.

❖ **Sarre - Trenkwald**
Sarre F., Trenkwald H., Österreichisches Museum für
Angewandte Kunst, 1, Vienne.
❖ **Schürmann, 1969**
Schürmann U., *Central-Asian Rugs*, Frankfort sur le Maine, 1969.
❖ **Schwaller de Lubicz, 1956**
Schwaller de Lubicz I., *Her-Bak « disciple »*, Flammarion, Paris, 1956.
❖ **Sefrioui, 1980**
Sefrioui A., « Le Tapis marocain », *From the Far West, Carpets and Textiles of Morocco,* The Textile Museum, Washington D.C., 1980, p. 90.
❖ **Spuhler, 1968**
Spuhler F., *Seidene Repräsentationsteppiche der mittleren bis späten Safawidenzeit. Die sogenannten Polenteppiche,* thèse, Berlin, 1968.
❖ **Spuhler, 1970**
Spuhler F., « Ein neu erworbener "Polenteppich" des Museums für Islamische Kunst », *Berliner Museen,* n° 20, 1970, p. 27-33.
❖ **Spuhler, 1978**
Spuhler F., *Islamic Carpets and Textiles in the Keir Collection*, Londres, 1978.
❖ **Spuhler, 1982**
Spuhler F., « Unbequeme Fragen zu unbekannten türkischen Teppichen der Berliner Sammlung », *Hali*, n° 4, 1982, p. 324 *sq*.
❖ **Spuhler, 1987**
Spuhler F., *Oriental Carpets in the Museum of Islamic Art, Berlin*,
Washington D.C., 1987.
❖ **Spuhler, 1987**
Spuhler F., *Die Orientteppiche im Museum für Islamische Kunst Berlin*,
Munich, 1987.
❖ **Spuhler, 1988**
Spuhler F. *et al.*, *Islamic Art in the Keir Collection,* Londres, 1988.
❖ **Spuhler, 1993**
Spuhler F., « The Yellow-Ground Konya Carpets, Ottoman or Anatolian ? An Attempt at a Redefinition », Kirchheim H., Frances M., *et al.*,
Orient Stars, a Carpet Collection, Londres, 1993, p. 187 *sq.*
❖ **Spuhler, 1998**
Spuhler F., *The Thyssen-Bornemisza Collection, Carpets and Textiles*,
Londres, 1998.
❖ **Spuhler, 2003**
Spuhler F., « Anatolische Gebetsteppiche », Calter J., Schönberger I.,
Der lange Weg der Türken, 1500 Jahre türkische Kultur,
Linden-Museum, Stuttgart, 2003, p. 163 *sq.*
❖ **Stead, 1974**
Stead R., *The Ardabil Carpets*, Malibu, 1974.
❖ **Suriano, 2004**
Suriano C., « A Mamluk landscape - carpet weaving in Egypt and Syria under Sultan Qaitbay », *Hali*, n° 134, 2004, p. 97-105.
❖ **Sylvester, 1972**
Sylvester D., *On Western Attitude to Eastern Carpets*, Londres, 1972.
❖ **Towner, 1979**
Towner W., « The Pasha and the Magic Carpets, part 1 », *Hali,* vol. 2,
n° 3, automne 1979, p.185.
❖ **Vandenbroeck, 2000**
Vandenbroeck P., *L'Art des femmes berbères*, Gand-Amsterdam, 2000.
❖ **Vannoti, 1999**
Vannoti F., « Les Tapis de Valère (Sion/Valais) », *Art Turc*,
Fondation Max Van Berchem, Genève, 1999, p. 725-730.
❖ **Vitali-Leopold Benguiat, 1925**
15th-18th Century Rugs, the Private Collection of Messrs.
Vitali & Leopold Benguiat, catalogue de vente, American Art Association,
4 et 5 décembre 1925, n° 40.
❖ **Völker, 2001**
Völker A., *Die orientalischen Knüpfteppiche im MAK,* 2001.
❖ **Walker, 1997**
Walker D., *Flowers Underfoot, Indian Carpets of the Mughal Era*,
New York, 1997.
❖ **Watt, Wardell, 1997**
Watt J., Wardell A., *When Silk was Gold, Central Asian and Chinese Textiles*,
The Metropolitan Museum of Art, New York, 1997.
❖ **Wilckens, 1992**
Wilckens L. von, « The Quedlinburg Carpet », *Hali*, n° 65,
octobre 1992, p. 97-105.
❖ **Zick, 1961**
Zick J., « Eine Gruppe von Gebetsteppichen und ihre Datierung »,
Berliner Museum, Berichte aus den Preussischer Kunstsammlungen,
n.s., 1961, p. 6-14.

CATALOGUES D'EXPOSITIONS

❖ **Abu Dhabi, 2004**
Islamic Art in the Calouste Gulbenkian Collection, Abu Dhabi Cultural Complex, Abu Dhabi, 2004.
❖ **Berlin, 1981**
The Arts of Islam, Masterpieces from the Metropolitan Museum of Art, Museum für Islamische Kunst, Berlin, 1981.
❖ **Berlin, 1899**
Führer durch die 81. Sonderausstellung März 1899 im Lichthof des Königlichen Kunstgewerbemuseums, Aufnahmen und Erwerbungen in Kleinasien und Persien, Berlin, 1899.
❖ **Boulogne-Billancourt, 1982**
Le Tapis, Art traditionnel et fonctionnel,
Centre culturel de Boulogne-Billancourt, 1982.
❖ **Delft, 1948-1949**
Oosterse Tapijten, Stedelijk Museum « Het Prinsenhof » te Delft, 1948-1949.
❖ **Hambourg,1950**
Ausstellung Orientteppiche, Museum für Kunst und Gewerbe, Hambourg, 1950.
❖ **Lisbonne, 1963**
Oriental Islamic Art. Collection of the Calouste Gulbenkian Foundation, Lisbonne, 1963.
❖ **Londres, 1972**
Islamic Carpets from the Joseph V. McMullan Collections, Hayward Gallery, Londres, 1972.
❖ **Londres, 1976**
The Arts of Islam, The Arts Council of Great Britain, Hayward Gallery, Londres, 1976.
❖ **Londres, 1976-1988**
Lefèvre & Partners, *Catalogue de vente aux enchères*, Londres, 1976-1988.
❖ **Londres, 1983**
King D. et Sylvester D. (éd.), *The Eastern Carpet in the Western World, from the 15th to the 17th Century*, Hayward Gallery, Londres, 1983.
❖ **Lyon, 1902**
Cox R., *Le Musée Historique des Tissus*, Lyon, 1902.
❖ **Madrid, 2001**
Un jardiin encantado - Arte Islámico en la Colección Calouste Gulbenkian, Fundación Santander Central Hispano, Madrid, 2001.
❖ **Mexico, 1994-1995**
Arte islámico del Museo Metropolitano de Arte de Nueva York,
Antiguo Colegio de San Ildefonso, Mexico, 1994-1995.
❖ **Munich, 1910**
Chefs-d'œuvre de l'art musulman, Munich, 1910.
❖ **New York, 1910**
Valentiner W., *Catalogue of the Loan Exhibition of Early Oriental Rugs*, Metropolitan Museum, New York, (1910).
❖ **New York, 1999-2000**
Baetjer K., Draper J.D. (éd.), *Only the Best: Masterpieces of the Calouste Gulbenkian Museum*, Lisbonne, The Metropolitan Museum of Art, New York, 16 novembre 1999 - 27 février 2000.
❖ **New York, 2003**
Thomson J. « Early Safavid Carpets and Textiles », Thomson J., Canby Sh. R (éd.), *Hunt for paradise - Court Arts of Safavid Iran, 1501-1576*, Asia Society Museum, New York, 2003, cat. n° 12.17.
❖ **Paris, 1888**
Collection Albert Goupil, Paris, 1888.
❖ **Paris, 1903**
Gaston Migeon, *Exposition des Arts Musulmans au musée des Arts décoratifs*, Paris, 1903.
❖ **Paris, 1989**
Tapis, présent de l'Orient à l'Occident, Institut du monde arabe, Paris, 1989.
❖ **Vienne, 1891**
Orientalische Teppiche im K.K. Österreichisches Handels-Museum, Vienne, 1891.
❖ **Washington D.C., 1975**
Ellis Ch. G., *Early Caucasian Rugs,* The Textile Museum, Washington D.C., 1975.
❖ **Washington D.C., 1980**
Turkmen: Tribal Carpets and Traditions, Washington D.C., 1980.

CRÉDITS PHOTOGRAPHIQUES